Satyam Nadeen

Satsang
Das Handbuch zum neuen Erwachen

Der Übergang in die Vierte Dimension
Mythos und Wirklichkeit der Erleuchtung

WINDPFERD

Titel der Originalausgabe „From Seekers to Finders"
Erschienen bei Hay House, Carlsbad, Kalifornien • Sydney, Australien
Copyright © 2000 by Satyam Nadeen
Aus dem Amerikanischen übertragen von Martin Rometsch
Dieses Werk wurde vermittelt durch:
Literarische Agentur Schlück GmbH, D–30827 Garbsen

„Ashtavakara-Gita", Seite 134 – 140: Abdruck mit freundlicher Genehmigung aus:
„The Heart of Awareness" by Thomas Byrom, © 1990, Shambhala Publications,
Inc., Boston

1. Auflage 2001
© 2000 by Windpferd Verlagsgesellschaft mbH, Aitrang
Alle Rechte vorbehalten
Umschlaggestaltung: Marx Grafik, Ingenried
Lektorat: Sylvia Luetjohann
Herstellung: Schneelöwe, Aitrang

ISBN 3-89385-367-7
Printed in Germany

Inhaltsverzeichnis

Einführung

Wenn das erste Buch eines Autors erfolgreich ist, bittet der Verlag ihn gewöhnlich um ein zweites. Die meisten Folgebände sind allerdings „die alte Leier", wenn auch leicht verbrämt. Aber wenn ich mich schon abrackern und sehr viel Zeit opfern muss, um ein ganzes Buch zustande zu bringen, möchte ich etwas Neues und Aufregendes schreiben und die ursprüngliche Botschaft erweitern. Ich glaube, ich befinde mich jetzt genau an diesem Punkt der sich entwickelnden Botschaft, die „vom Suchenden zum Findenden" heißt.

Als *Von der Zwiebel zur Perle* durch meinen Füller strömte, befand ich mich noch in einem Bundesgefängnis und am Anfang meines Weckrufes – immer noch im Stadium eines glückseligen Taumels. Die einzigen Worte, die mir zur Verfügung standen, beschrieben das Erwachen, wie ich es erlebte. Vielleicht war das für manche Suchenden interessant – aber was wäre, wenn es sich nur um ein einzelnes Ereignis handelte, ausgelöst von den harten, gewalttätigen, unmenschlichen Bedingungen im Gefängnis, die zwar das Ich zerschmettern, dem durchschnittlichen Suchenden jedoch völlig unzugänglich sind? Was ist mit den normalen Suchenden, die nicht in derart extremen Verhältnissen leben? Wie können sie erwachen? Für sie habe ich dieses Buch geschrieben.

Aber zuerst möchte ich Ihnen meine Geschichte erzählen, damit Sie auf dem Laufenden sind. Die *Zwiebel* wurde im August 1996 veröffentlicht, genau in dem Monat, in dem ich aus der Strafanstalt entlassen wurde. Noch bevor ich meine Bewährungsauflage – sechs Monate halber Hausarrest – hinter mir hatte, waren die zweiten 5.000 Exemplare gedruckt, und seither gab es noch zwei weitere Auflagen. Aber die erste Auflage fiel Suchenden in die Hände, die dem Erwachen in der vierten Dimension bereits nahe waren, ohne es zu wissen und ehe sie mein Buch gelesen hatten (ich werde dieses „Erwachen" in Kapitel 1 definieren). Dadurch entstand ein Netzwerk aus Energiewirbeln in vielen Städten der Welt, in die ich (als ich wieder reisen durfte) eingeladen wurde, um an Wochenenden dreitägige Intensivkurse abzuhalten. An dem Wochenende, als mein Hausarrest ablief, fingen wir sofort in Santa Fe an und verbringen seither durchschnittlich drei von vier Wochenenden im Monat irgendwo auf dem Globus.

Dies ist also mein zweites lesenswertes Buch! Es ist ein Feedbackbuch, und geschaffen haben es Tausende von anderen Suchenden, die bei zahllosen Satsangs (dort treffen sich zwei oder mehr Suchende, um ihre heilige Wahrheit auszutauschen) ihre Erfahrungen mit anderen teilten. Jetzt steht Ihnen eine unglaublich ergiebige Quelle neuen Wissens zur Verfügung. Das erste Buch handelte von meinem Erwachen – das ist nichts Besonderes! Dieses Buch wird Sie fesseln, weil es meines Wissens das erste Buch ist, das offen beschreibt, was beim sogenannten Milleniums-Übergang wirklich geschieht. Nicht nur Buddha, sondern auch die Mayas und die Hopi haben davon gesprochen. Zum Teil geht es auch um die haarsträubenden und äußerst lustigen Vorstellungen, die heutzutage fast alle Suchenden vom „Erwachen" oder von der „Erleuchtung" haben, während die Wucht dieser Transformation sie mitreißt.

In der *Zwiebel* hatten wir zusammen viel Spaß, und vielleicht hat das Buch Sie veranlasst, über alte, abgegriffene Ideen wie Karma, Reinkarnation, freier Wille, die Schaffung einer eigenen Wirklichkeit und so weiter nachzudenken. Vielleicht halten Sie es jetzt sogar für möglich, ohne Weg und Ziel zu leben, ohne Streben nach Selbstverwirklichung, und dennoch zu verstehen, welchen Sinn Ihr Leben hat und warum Sie überhaupt hier sind. Nun ist es Zeit, weiterzugehen. Ihr vertrauenswürdiger Reiseführer und Enthüllungsreporter wird Ihnen herzerwärmende, wundervolle Tatsachen über die große Verwandlung aller Menschen offenbaren: Heute stehen wir noch mit beiden Beinen in der dritten Dimension; aber bald haben wir einen Fuß in der vierten. Ist das nicht eine faszinierende Reportage?

Kapitel 1

Das Erwachen

Für den Fall, dass Sie *Von der Zwiebel zur Perle* nicht gelesen haben, möchte ich meine Geschichte noch einmal kurz zusammenfassen. Selbst wenn Sie bereits Bescheid wissen, befinden Sie sich jetzt in einem anderen Bewusstseinszustand. Das Wasser eines Flusses fließt nie zweimal über denselben Kieselstein, und Sie verändern sich ebenfalls, wenn Sie weisen Worten lauschen, sogar wenn es altvertraute Wahrheiten sind. Teilnehmer an meinen Intensivkursen haben mir erzählt, dass sie die *Zwiebel* jedes Mal lesen, als sei es das erste Mal. Es gibt ebenso viele Schalen der Wahrheit wie alte Ideen und anerzogene Verhaltensweisen, und Sie können alle abschälen.

Ich glaube, ich war von Anfang an ein Suchender. Im reifen Alter von 12 Jahren trat ich ins Priesterseminar ein, um katholischer Geistlicher zu werden, und dabei blieb ich, bis ich 26 war. Aus irgendeinem Grund konnten mir der katholische Glaube und die westliche Mystik nicht geben, wonach ich mich damals sehnte. Also verließ ich das Seminar und folgte dem östlichen spirituellen Weg mit all seinen traditionellen Disziplinen wie Yoga, Meditation, wechselnden Gurus und Herumlungern in Ashrams. Obendrein interessierte ich mich sehr für die vielen Kurse und Workshops über Selbsthilfe und besseres Leben, welche die spirituelle Psychologie zu bieten hatte. Aber anstatt dem Gelobten Land näher zu kommen, entfernte ich mich immer weiter von ihm, trotz all meiner Versuche, mich selbst zu verwirklichen.

Eine kleine weiße Tablette, Ecstasy genannt, brachte mich der Selbsterkenntnis am nächsten. Besonders unangenehm fand ich allerdings, dass sie die Tür schon nach wenigen Stunden wieder zuknallte und mich mit meiner Sehnsucht nach Einheit, Frieden und totaler Furchtlosigkeit allein ließ. Ich betrachtete es als meine Lebensaufgabe, dieses kleine Wunder der sofortigen, kurzen Erleuchtung möglichst vielen Menschen auf der ganzen Welt zugänglich zu machen. Als die Droge im Jahr 1985 in den USA illegal wurde, zog ich nach Südamerika um und verteilte sie in Europa, wo sie noch erlaubt war. Aber das Schicksal wollte es, dass ein Teil der Tabletten irgendwie den Weg zurück in die USA fand, und das bedeutete nach dem Gesetz, dass ich mich einer Verschwörung schuldig gemacht hatte. Ein Richter verurteilte mich zu 87 Monaten in einem Bundesgefängnis, und das war's dann. Einzelheiten können Sie in der *Zwiebel* nachlesen, wenn Sie wollen.

Doch bevor ich genauer auf mein Erwachen eingehe, möchte ich einige Begriffe definieren, denn wir brauchen ein neues Vokabular, um die Transformation in Worten zu beschreiben, die keine vorgefassten Ideen enthalten. Ich verstehe unter der *dritten Dimension* „die ganze erschaffene Wirklichkeit, die der Geist wahrnimmt und deutet". Die *vierte Dimension* ist das, was jenseits der dritten liegt (vielleicht gibt es noch mehr Dimensionen) und was wir intuitiv oder mit dem Herzen wahrnehmen und mit Hilfe des inneren Beobachters begreifen, der nicht emotional reagiert und nur zusieht. Die vierte Dimension ist also die Welt des Geistes.

Die Gefangenschaft war für mich sowohl der schlimmste Alptraum als auch meine *dunkle Nacht der Seele*. Dieser Ausdruck geht auf Johannes vom Kreuz zurück, der damit eine schmerzhafte Phase des spirituellen Wachstums meinte. Innerhalb von zwei Jahren kam es zu einem vollständigen und plötzlichen Wechsel von der dritten in die vierte Dimension. Alles, wonach ich jemals sehnsüchtig gesucht und mit fast unmöglichen Kunststücken zu finden gehofft hatte, öffnete sich ganz mühelos in meinem Bewusstsein. Eines Tages wachte ich auf und erinnerte mich daran, wer ich war. Und das nach lebenslangem Suchen!

Aber wie wacht man auf? Ich kann nur meine eigene Erfahrung beschreiben. Ich war an einem Punkt angelangt, an dem ich die Suche schlicht und einfach aufgab. Ich hatte erkannt, dass ich die grenzenlose Weite, nach der ich suchte, mit einem begrenzten und endlichen Geist niemals erfassen konnte. Etwa zur selben Zeit wurde mir klar, dass ich nichts *tun* konnte, selbst wenn ich Wissen erlangen sollte.

Dann stieß ich auf einen Satz in Ramesh Balsekars Buch *Consciousness Speaks*: Das Bewusstsein ist alles, was es gibt, und *ich bin Bewusstsein!* Plötzlich und auf der Stelle erinnerte ich mich an diese Wahrheit, und zwar auf einer Ebene jenseits aller Erfahrung und allen Wissens. Ich wusste es auf der seelischen oder essenziellen Ebene, vielleicht sogar auf der zellulären. Es war, als wäre ich mein Leben lang ein Schlafwandler gewesen, der glaubte, von Gott und allen anderen getrennt zu sein. Nun war ich unvermittelt erwacht und erinnerte mich daran, dass *ich* die Quelle von allem war.

In diesem Augenblick begann meine *Erlösung*. Sie ist ein automatischer Vorgang, der alle Folgen der neuen Erkenntnis im Griff hat. Sobald Sie erwachen und sich daran erinnern, wer Sie sind, können Sie im täglichen Leben damit beginnen, sämtliche alten Ideen und Konditionierungen aufzulösen, die dazu geführt haben, dass Sie Ihr Leben lang auf Nebengleisen gegangen sind. Diese Einsicht und diese Erinnerung stellten sich blitzartig ein – es war eine sehr dunkle Nacht der Seele –, und ich war kein verwirrtes, einsames Opfer der schrecklichen dritten Dimension mehr, sondern befand mich in der totalen Freiheit, Freude und friedvollen Klarheit der vierten. Was folgte, war eine Art von Verzückung. Sie ist jener Teil des Übergangs, der uns das Gefühl vermittelt, endlich geborgen und frei, endlich zu Hause zu sein.

Kaum hatte ich angefangen, die alltägliche Wirklichkeit der vierten Dimension zu erforschen, begann ich ein Tagebuch zu schreiben, aus dem schließlich die *Zwiebel* wurde. Dies war ein Versuch, meine neue Lebenswirklichkeit zu erklären: mit einem Fuß in der dritten und mit dem anderen in der vierten Dimension. Ich schilderte vor allem mein Erstaunen darüber, wie einfach das Leben in der vierten Dimension sein kann. Hinzu kam ein überwältigender Sinn für Humor, denn ich fand es lustig, wie mysteriös und kompliziert wir diese spirituelle Suche machen und wie ernst wir sie nehmen. Wir dürfen wohl kaum darauf hoffen, jemals *von selbst* das Ziel unserer Suche zu finden.

Dieses Buch geht über Nadeens Erwachen hinaus und befasst sich mit der Realität des großen Übergangs, den wir zur Zeit erleben. Millionen von Suchenden werden zu Findenden in der vierten Dimension und hungern nach den Erfahrungsberichten jener, die den Wechsel ein paar Minuten vor ihnen geschafft haben. Bemerkenswert ist, dass wir nie zuvor in dieser Situation waren. Früher gab es eine Handvoll erwachter Menschen. Heute sind es Millionen! Und es gibt keine Handbücher, die uns helfen, jeweils mit einem Fuß in einer anderen Dimension zu leben. Niemand hat jemals genau beschrieben, was dieses Erwachen genau ist, abgesehen von der glorifizierten Freiheit, die aber nur ein Teilaspekt ist.

Wenn wir über die Realität dieser Transformation reden wollten, standen uns bis vor kurzem nur alte, abgenutzte Vorstellungen von diesem neuen Bewusstseinszustand zur Verfügung. Darum werden wir uns während der folgenden Diskussion vor allem mit den alten Mythen über die Erleuchtung beschäftigen müssen, sofern wir bereit sind, das, was ist, zu verstehen und zu akzeptieren – so wie es ist.

Die Hauptzutaten des Erwachens

Um herauszufinden, was ein „Weckruf" eigentlich ist, müssen wir durch ein Minenfeld alter Ideen wandern. Sehen wir uns zunächst einmal die wichtigsten Elemente des großen Übergangs an. Die Quelle all dessen, was ist, heißt in den Veden und in der Bhagavadgita *Satchitananda*. Das bedeutet „ewige Wirklichkeit (*sat*) in reinem Bewusstsein (*chit*) und in Glückseligkeit (*ananda*)". Wie jede Energie bewegt diese Quelle sich hin und her, und zwar zwischen dem Zustand der Ruhe und der Welt der Erscheinungen. Im Ruhezustand ist die Quelle eine absolut bewusste und glückselige, unpersönliche Energie; aber weil sie die unendliche, expandierende Weite ist, kann sie sich selbst nicht vollständig als eine solche Energie erkennen. Um sich selbst zu erkennen, verwandelte sie sich in ein endliches Objekt, indem sie die manifeste Welt der Erscheinungen schuf, die ich als dritte Dimension oder Traumwelt bezeichne.

In diesem Traum sind wir als individuelle Geist/Körper-Organismen jedoch nicht die *Träumenden*, sondern die *Geträumten*. Wir sind die Objekte der Quelle, des Subjekts. (Anmerkung des Herausgebers: Da alle Wesen in der manifestierten Welt Teile der Quelle sind, können wir die Quelle wie im Folgenden als „Ich" bezeichnen.) Als pulsierende Energie erschafft die Quelle alle Manifestationen beim Einatmen und löst sie beim Ausatmen, vor der Ruhephase, wieder auf. Wenn Sie bereit sind, Ihre begrenzte Vorstellungskraft zu strapazieren, dann überlegen Sie: Die *Gita* sagt, Gott atme jeweils 311 Billionen und 40 Milliarden Erdenjahre lang ein und aus, und zwar bis in alle Ewigkeit. Doch wer weiß ... die Zeit ist nur in der dritten Dimension wichtig.

Sobald wir diese Beschreibung der Quelle wenigstens intellektuell erfassen, haben wir den Weg für den intuitiven Durchbruch bereitet und können eines Tages alles verstehen und uns an alles erinnern, bis hinab zu unserem wahren Wesen und zum zellulären Gedächtnis. Dann wissen wir, dass das Bewusstsein alles ist, was existiert – *und dass wir Bewusstsein sind.* Mit Worten ist die unendliche Weite, unsere wahre Natur, allerdings nicht zu beschreiben.

Nach einem solchen Übergang erinnern Sie sich allmählich daran, dass *Sie Satchitananda* sind, wovon die Alten sprachen. Dann beginnt ein Prozess, den ich als *Befreiung* oder *Erlösung* bezeichne. Er macht uns auf einer inneren Satsang-Ebene klar, was diese subtile neue Erinnerung an unsere wahre Identität mit sich bringt (*Satsang* bedeutet wörtlich „göttliche innere Führung"; siehe Kapitel 7).

Es kann sogar sein, dass Sie schon in dieser Phase verstehen, warum Sie überhaupt in dieser Welt der Erscheinungen sind. Als ruhende Quelle konnten Sie sich nicht selbst begreifen, weil Sie unendlich waren. Wie kann man das Unendliche mit der erfassbaren Endlichkeit verbinden? Durch Begrenzung! Das ist es, was fehlt, wenn die Quelle lediglich pulsiert, wenn sie ruht und sich ausdehnt, ohne Ende. Darum habe ich mich selbst auf einen Kosmos aus Mineralien, Pflanzen, Insekten und Menschen begrenzt. Die weiteste Expansion, die wir in der dritten Dimension erfahren können, verdanken wir unseren Gefühlen. Achten Sie bitte darauf, dass ich nicht nur von positiven Gefühlen spreche, sondern von *allen* Gefühlen, deren Quelle die Liebe auf der positiven und die Angst auf der negativen Seite ist. Rede ich jetzt schon von „Seiten"? Selbstverständlich, denn wenn ich mich in einer Welt der Erscheinungen begrenzen will, gibt es keinen besseren Weg, als mir für jede Idee eine möglichst stichhaltige Gegenidee auszudenken. Was immer ich dann sage, das Gegenteil trifft ebenfalls zu, und ich kann mich mit anderen in der Mitte treffen.

Das heißt also: Die Quelle hat einen hübschen, langen Traum, und sie schreibt dazu ein Drehbuch, in dem jedes lebende Wesen vorkommt. Jedes dieser Geschöpfe ist einzigartig, und jedes spielt seine Rolle. Das Drehbuch enthält alle denkbaren Szenarien im Rahmen der menschlichen Gefühle. Kein mögliches emotionales Extrem wird ausgelassen, keines bleibt unergründet. Und als Quelle und Autor der „automatischen" Energiegesetze spiele ich nun alle denkbaren Rollen. Gleichzeitig stehe ich in der Mitte der Bühne als Publikum – als Bewusstsein – und habe viel Spaß dabei und lerne mich besser kennen.

Diese Traumwelt, die ich dritte Dimension nenne, hat allerdings einige praktische Konsequenzen. Vielleicht wird Ihre Erlösung Sie auf folgende Realitäten aufmerksam machen:

1. Es gibt weder einen individuellen Handelnden, noch hat dieser illusorische Handelnde in der dritten Dimension einen freien Willen. Anders verhält es sich in der vierten Dimension.

   Die Quelle ist nämlich unendlich weise und daher imstande, den spontanen Traum äußerst real erscheinen zu lassen. Würden Sie sich als Schauspieler in diesem Traum im Netz der vielen negativen Gefühle verfangen, wenn Sie nicht von ihrer Realität überzeugt wären? Sie *müssen* den Eindruck haben, ein Individuum mit freiem Willen zu sein. Sie kommen nicht mit der Erinnerung an diese Trennung auf die Welt – Sie sind auf dem falschen Planeten gelandet und haben keine Ahnung, wie Sie das gemacht haben und warum Sie dort sind. Aber Sie sehnen sich danach, „heim zu gehen".

   Wo ist Ihr Zuhause? Ihre soziale Konditionierung versorgt Sie rasch mit allen notwendigen Einzelheiten, abgeleitet von der bewussten Desinformation der Quelle. Darum bleiben Sie in einem Zustand der Verwirrung und der Widersprüche, was den Sinn des Lebens anbelangt. Diese Konditionierung garantiert der Quelle, dass jedes Individuum alle Gefühle auf ausgewogene Weise empfindet – gleich viel Freiheit und Begrenzung, gleich viele positive und negative Reaktionen in der Traumwelt.

2. Der Sinn Ihres Lebens besteht darin, für die Quelle alle menschlichen Gefühle auszukosten.

3. Alles in dieser Welt der Erscheinungen ist genau so, wie es sein soll. Sie brauchen nichts zu reparieren, weil nichts kaputt ist!

4. Keine spirituelle Lehre kann Ihnen zu Ihrem eigenen großen Übergang verhelfen. Wenn er eintritt, dann trotz Ihrer Bemühungen, nicht wegen ihnen. Es genügt also, dass Sie *sind*. Tun Sie nichts! Verstehen ist alles, und das Leben ist so, wie es ist.

5. Karma und Reinkarnation sind Ideen der dritten Dimension. Sie fördern die Vorstellung von einem getrennten Selbst, das frei zwischen Gut und Böse entscheiden kann und in einem künftigen Leben belohnt oder bestraft wird.

6. Sie sind bereits „erleuchtet" – weil Sie sind, was Sie sind. Sie sind *Satchitananda,* und Ihre wahre Natur ändert sich nicht deshalb, weil Sie in einem Traum vorkommen.

7. In dieser Welt der Erscheinungen gibt es weder Wege noch Ziele. Spielen Sie einfach Ihre Rolle, dann sind Sie vollkommen und befinden sich im Einklang mit Ihrem Schicksal.

8. Ihre persönliche Geschichte ist Teil einer gigantischen Seifenoper, die dem Publikum Tränen in die Augen treibt. Am Ende ist Ihnen ein Oscar sicher.

9. Ein Wort an die Fans der totalen Freiheit: Ihr seid nur Marionetten im Traum der Quelle.

10. Wenn alles, was ist, Bewusstsein ist, und wenn ich Bewusstsein bin, dann muss jeder andere dasselbe Bewusstsein sein. Wo sind meine Feinde geblieben?

11. Tod, wo ist dein Stachel? Ich bin ewige Wirklichkeit!

12. Als Manifestation der Quelle kann ich mein Schicksal nicht vermasseln oder verfehlen. Ich kann keine falsche Entscheidung treffen und kein Opfer sein. Und ich bin nicht verantwortlich dafür, dass es in meinem Leben und auf der Erde düster aussieht.

13. Ich bin *am göttlichsten*, wenn ich mich voll in mein menschliches Dilemma hineinknie, mit allen scheinbaren Fehlern, Ei-

genheiten, negativen Gefühlen und unzähligen alltäglichen Wehwehchen.

14. Völlig wach sein heißt ganz einfach, dass ich mich daran erinnere, *wer ich bin*. Ich bin die Quelle allen Bewusstseins, also all dessen, was ist. *Ich bin Das!*

Die konventionelle Spiritualität und der Übergang

Als ich vom dreidimensionalen Bewusstsein zum vierdimensionalen wechselte, befand ich mich seit zwei Jahren in einer überfüllten Gefängniszelle und versuchte nicht aufzuwachen, sondern zu überleben. Vergessen Sie das nicht. Als es geschah, begriff ich natürlich, was es bedeutete: Meine panische Angst verschwand, und ich befand mich im Zustand unermesslicher Sicherheit und Erleichterung. Aber es war noch so viel von meinem Geist/meinem Ich/meiner Persönlichkeit übrig, dass ich die Situation sogleich als „außergewöhnlich" einstufte. Alles, was der Geist als außergewöhnlich betrachtet, ist ein Alarmsignal, wie ich während meiner Erlösung bald herausfinden sollte. Dieser Übergang besteht nämlich gerade darin, dass ich zum ersten Mal das köstliche Gefühl hatte, ganz *gewöhnlich* zu sein. Mehr als ein halbes Jahrhundert lang hatte ich versucht, „etwas Besonderes" zu sein! Das ist übrigens einer der gemeinsamen Nenner in unseren Satsang-Gruppen: Was für eine Erleichterung, nur noch gewöhnlich zu sein!

Damit ich nicht in meine alte Gewohnheit zurückfiel, führte der Übergang mir kristallklar vor Augen, wie er sich nicht nur auf mich, sondern auch auf alle anderen Suchenden auswirkte. Denken Sie daran, dass ich noch nicht wusste, was dieser große Übergang eigentlich war, wohin er führte und ob er je enden würde. Aber eine Folge war mir klar: Alle Suchenden der Welt werden herausfinden, dass sie die Quelle allen Bewusstseins sind, die einzige Wirklichkeit, die es gibt. Das sah und erkannte ich als neues Ereignis, nicht als fernen Zukunftstraum. Schon diese erste Vision trieb mir den Wunsch aus, etwas Besonderes zu sein. Stattdessen spürte ich schlichte, totale Liebe und Dankbarkeit – so intensiv, dass es mir sogar gleichgültig war, ob ich oder andere je den Übergang schaffen würden. Nur eines änderte sich: Ich sah das große Bild jetzt durch die Augen der Quelle und besaß ihre Einsicht.

Es folgten vier weitere Jahre im Gefängnis, und ich hatte alle Zeit der Welt, um meine Befreiung zu erleben. Ich hatte erst einen flüchtigen Blick auf den Übergang erhascht und gerade begonnen, ihn zu verstehen. Dennoch führte er mich auf eine neue Ebene, und von dort aus konnte ich in einem Satsang-Kurs selbst fremden Menschen voller Selbstvertrauen erklären, was das alles für mich bedeutete.

Allerdings wusste ich nicht, ob dieser Übergang alle anderen Suchenden einbezog. Doch innerhalb einer Woche nach meiner Entlassung aus dem Gefängnis ging ich an fast jedem Wochenende auf Satsang-Tour. Das Programm bestand aus einer Einführung am Freitagabend, gefolgt von einem Intensivkurs, der den ganzen Samstag und Sonntag dauerte und für jene bestimmt war, die genauer erkunden wollten, was es wirklich bedeutet, jeweils mit einem Fuß fest in einer anderen Dimension zu stehen.

Die allererste Tour wurde von Mary-Margaret Moore gesponsert. Können Sie sich vorstellen, wie mir zumute war? Ich kam frisch aus dem Knast, in dem man als Abschaum der Erde gilt, in einen Saal voller adretter, lächelnder, aufgeschlossener Menschen, die gespannt auf meine Ausführungen zum großen Übergang warteten.

Meine Stimme war so schwach und derart von Gefühlen überwältigt, dass ich kaum sprechen konnte. Bisher hatte ich meine Geschichte vom Erwachen niemandem erzählt außer einigen engen Freunden im Gefängnis. Und nun stand ich in einem riesigen Saal, der mit Leuten gefüllt war, die vermutlich einen erleuchteten Weisen erwarteten, der sie mit profunden Einsichten oder durch *shaktipat* (Übertragung heiliger Energie) umhauen würde. Und ich schämte mich immer noch, sechs Jahre im Höllenpfuhl eines Gefängnisses gelebt zu haben. Mehr noch: Ich hatte keine Ahnung, was ich sagen sollte und wie ich einen dreitägigen Workshop über das Erwachen abhalten sollte. Doch das war nur ein Problem meines Geistes, nicht meines Herzens. Schon eilte mir die magische Energie des Satsang zur Hilfe, in der kein Platz für den Geist ist. Aus der Tiefe meiner Erfahrung – ich hatte ja bereits vier Jahre lang in der vierten Dimension gelebt – ergoss sich spontan und mühelos ein Strom der Kommunikation und berührte die Intuition aller Anwesenden – nicht dank meiner Worte, sondern trotz meiner Worte. Ich schaute mich um und sah einen Saal voller Menschen zustimmend mit dem Kopf nicken und lächeln, und sie stellten mir tiefgründige Fragen, die sie aus dem Brunnen ihres eigenen Übergangs schöpften. Dann, während des Intensivkurses, erzählten die Teilnehmer von ihrer eigenen einzigartigen und faszinierenden Erfahrung – auch sie hatten wie besessen gesucht und waren zu entspannten Findenden geworden. An diesem Wochenende erkannte ich mich selbst in jeder einzelnen Geschichte wieder.

In den ersten Intensivkursen ließ ich die Teilnehmer nur etwa fünf Minuten lang von ihrer Reise als Suchende berichten, damit wir am Sonntag zum Mittagessen fertig waren. Aber nachdem ich Tausende solcher Schilderungen gehört hatte, wurde mir klar, dass sie wohl das Intensivste von allem waren, und darum bot ich den Teilnehmern meinen Stuhl an und ließ sie reden, solange sie wollten. Obwohl jede Reise einzigartig ist, wird dabei ein allgemeines Muster erkennbar, das uns allen vertraut ist.

Möchten Sie einige der gemeinsamen Züge des großen Übergangs kennen lernen? Wir haben bei den über siebzig Intensivkursen, die ich bisher auf der ganzen Welt gegeben habe, folgende Gemeinsamkeiten entdeckt:

1. Die Suche beginnt meist in der Kindheit mit tiefschürfenden Fragen zu Gott und zum Leben.

2. Wir fühlten uns als Bewohner des Planeten Erde schon in jungem Alter irgendwie anders und fehl am Platze. Wir waren Fremde in einem fremden Land, als seien wir versehentlich auf dem falschen Himmelskörper gelandet.

3. Wir gehörten zunächst einer christlichen Konfession an, wie die Tradition es will; aber als Jugendliche suchten wir nach Alternativen und nach echter spiritueller Praxis.

4. Wir glaubten, in einer guten Beziehung zu finden, was wir suchten. Also heirateten wir und ließen uns später scheiden – nicht nur einmal, sondern mehrere Male, weil wir den vollkommenen Seelengefährten suchten.

5. Die meisten von uns warfen erste Blicke in die andere Wirklichkeit, als sie mit bewusstseinserweiternden Drogen experimentierten. Aber wie bei allen anderen Beziehungen waren diese Phasen nur kurz.

6. Dann begann die endlose Suche quer durch die brandneuen Angebote des New Age: Transzendentale Meditation, Yoga, Gurus, Reisen nach Indien, positives Denken, Visualisieren, Affirmationen, Makrobiotik und unzählige Selbsthilfeseminare, die Tausende kosteten. Leider führte uns das alles nicht ins Gelobte Land.

7. Irgendwann in den letzten drei bis zehn Jahren brach etwas über uns herein, was man nur „dunkle Nacht der Seele" nennen kann. Alle Beziehungen und Bindungen – Familie, Beruf, die große Liebe, Hobbys oder Kunst – lösten sich allmählich auf. Wir waren verzweifelt, weil die konventionelle Weisheit der dritten Dimension dahinschwand, ohne dass wir die totale Freiheit der vierten Dimension erreicht hätten.

8. Noch schlimmer als die emotionale Wüste dieser dunklen Nacht war unsere tiefe Sehnsucht, die anscheinend unaufhaltsam stärker wurde. Um alles noch verwirrender zu machen, wurde unser Körper umgeformt, damit er die höhere Schwingung aushielt, die dem Übergang vorangeht. Häufige Symptome waren: leichte Depressionen, chronische Müdigkeit, seltsame Schmerzen, kleine Elektroschocks, die durch den ganzen Körper liefen, Nervenzusammenbrüche, kurzfristiger Gedächtnisschwund sowie sonderbare Tumore, die kamen und gingen. Man stelle sich vor: Wir hatten unseren Körper nach allen Regeln des New Age vorzüglich

gepflegt, und dennoch brach er zusammen, und wir hatten weder die Mittel noch die Energie, unser Leben wieder in den Griff zu bekommen.

9. Diejenigen von uns, die einem persönlichen, vielleicht lebenden, Guru oder spirituellen Lehrer folgten, hatten nun den Eindruck, dass dieser Mensch in der Tat erwacht sein mochte, dass aber keine Energie zu uns übersprang – weder durch Osmose noch durch bestimmte Meditationstechniken. Meiner Erfahrung nach ist niemand reif für den Übergang, der noch an einem Guru hängt (also auf seine eigene Macht verzichtet oder den Guru für etwas „Besonderes" hält). Wenn wir einen anderen Menschen derart erhöhen, halten wir die Illusion der Trennung lebendig.

10. Nach lebenslangen bewussten Anstrengungen, die zwar ausgereicht hatten, um uns bei der Stange zu halten, uns aber nicht ans Ziel gebracht hatten, setzte sich allmählich eine neue Einsicht durch: Vielleicht sind wir ja gar nicht die Gestalter unseres Schicksals!

11. Dann lasen wir ein Buch, oder wir trafen jemanden, der uns erklärte, dass alles, was ist, Bewusstsein ist, und dass auch wir Bewusstsein sind. Wir sind nicht die dreidimensionalen Handelnden; wir waren es nicht und werden es nie sein. Und weil wir bereits *Satchitananda* sind, brauchen wir nichts zu tun, um zu sein, wer wir bereits sind und immer gewesen sind.

12. Da dieser Übergang nicht immer ein plötzliches oder dramatisches Erwachen ist, müssen wir darauf vertrauen, dass alles gut ist, während wir uns allmählich daran erinnern, wer wir wirklich sind, und die Erlösung nach und nach auch unser tägliches Leben erfasst. Wir halten uns nicht mehr für die Handelnden, sondern können mitten in jeder Situation Beobachter sein. Das Leben entfaltet sich um uns herum, entsprechend unserem manifesten Schicksal, und wir brauchen uns nicht mehr bewusst darum zu kümmern.

Ockhams Rasiermesser

Wilhelm von Ockham war ein Philosoph und Wissenschaftler, der vor rund 600 Jahren lebte. Ihm gelang eine tiefgreifende Entdeckung, während seine Zeitgenossen immer noch darüber stritten, ob die Sonne um die Erde kreist oder umgekehrt. Vielleicht kennen Sie dieses Prinzip aus dem Film *Kontakt*.

Es besagt im Wesentlichen, dass die einfachste Erklärung für ein Phänomen fast immer richtig ist. Dieser Grundsatz wurde noch nie widerlegt, nicht einmal angesichts der vielen neuen Erkenntnisse der Quantenphysik. Daher wollen wir ihn auch auf die spirituelle Suche anwenden.

Beginnen wir mit der fundamentalen Verwirrung, die alle Suchenden schon früh im Leben packt. Irgendwann merken wir, dass wir Fremde auf dem falschen Planeten sind. Wir haben keine Ahnung, wie wir auf die Erde gekommen sind, warum wir hier sind und was wir tun können, um unsere tiefe Sehnsucht nach „Zuhause" zu stillen. Tausende von einander widersprechenden sozialen und religiösen Theorien wollen uns vorschreiben, was wir zu tun und zu lassen haben – meist mit einem drohenden „andernfalls" verbunden.

Die westliche Mystik und das Christentum bieten uns Himmel, Hölle und Fegefeuer an; außerdem die Ursünde, Todsünden und lässliche Sünden; dazu den obligatorischen Kirchenbesuch und die Kollekte. Dem gegenüber stehen in der östlichen Mystik: Karma, Reinkarnation, strenge Disziplin, Mantras, Gebetsmühlen und die Verehrung von siebenarmigen Gottheiten. Lassen wir die extremen

Praktiken des Islam und des Judentums einmal beiseite und begnügen wir uns mit der Feststellung: äußerst kompliziert!

Nun kommt der große Übergang und macht das Leben auf der Erde für den Findenden so einfach wie nur möglich. Was könnte einfacher sein als diese Aussage: Alles, was ist, ist Bewusstsein, *und auch du bist Bewusstsein*. Es gibt keinen Gottvater da oben, und wir sind kein separater kleiner Wurm hier unten, der sich bemüht, einem bisweilen zornigen und strafenden Gott zu gefallen, um nicht verdammt zu werden. Es gibt nur noch *eine* Energie, die jegliche Realität durchdringt.

Diese Energie, die wir Bewusstsein oder Quelle nennen können, ist ewig. Eines der Gesetze aus der dritten Dimension lautet: „Wie oben, so unten." Wir Menschen wollen uns hier auf Erden nie langweilen, stimmt's? Nun, die Quelle mag ebenfalls keine Langeweile. Darum erschafft sie die Welt der Erscheinungen und benutzt dafür mentale Energie, die einem Traum ähnelt, und sie spielt „Verstecken" mit sich selbst, um mehr über sich selbst zu erfahren. Und damit es richtig interessant wird, erschafft die Quelle jedes Individuum einer Spezies als einzigartiges Wesen, das es nie zuvor gegeben hat und nie wieder geben wird. Das gilt für die gesamte Schöpfung, von den Schneeflocken bis zum Menschen. So vermeidet die Quelle identische Erfahrungen bei ihrem Versteckspiel.

Sie hat Erfahrungen als Mineralien – zum Beispiel als Berg – und als Pflanzen, Insekten und Tiere gesammelt. Sie hat auch ein Tier hervorgebracht, das zur höchsten aller Erfahrungen imstande ist: den Menschen mit seinem Urteilsvermögen und seinen komplexen Gefühlen.

Denken Sie daran, dass die Quelle alle möglichen Erfahrungen innerhalb jeder Spezies sammeln will. Sie will die Instinkte, Triebe, Sehnsüchte und Gefühle des Menschen erfahren, nicht unterdrücken. Keine andere Spezies weiß, was es bedeutet, die natürlichen Instinkte oder Gefühle zu unterdrücken.

Kehren wir zu Ockhams Rasiermesser zurück und fragen wir nach dem Sinn des Lebens. Wenn wir als Suchende zum ersten Mal die Frage stellen: „Warum bin ich hier?", werden wir von allen Seiten mit widersprüchlichen Antworten überhäuft. Man rät uns:

- das eigene Bewusstsein zu erweitern

- das Bewusstsein anderer zu erweitern

- in diesem Leben erleuchtet zu werden

- anderen zu helfen

- die Tugenden zu pflegen

- Laster aufzugeben

- verantwortungsbewusst zu sein

- sich richtig zu entscheiden

- die Gesetze zu befolgen (und zwar alle!)

- Gott zu gehorchen

- gut zu sein („Ich bemühe mich, jeden Tag in jeder Hinsicht besser zu werden!")

Im Bemühen, diese Ratschläge zu befolgen, gingen wir in die Kirchen verschiedener Religionen, suchten Therapeuten auf und nahmen an Selbsthilfegruppen und -seminaren teil. Und was war der Dank für all diese bewusste Anstrengung? Verzweiflung, die in die dunkle Nacht der Seele mündete.

Es gibt eben nur eine einzige einfache Lösung:

1. Machen Sie sich klar, dass Sie hier sind, um Ihr Leben so zu genießen und zu akzeptieren, wie es ist. Alles ist genau so, wie es sein muss, damit Sie mit Ihrem einzigartigen Geist/Körper einzigartige Erfahrungen machen.

2. Akzeptieren Sie alle Ihre Gefühle, nicht nur die positiven; denn sie sollen *alle* erfahren. Auch negative Gefühle bereichern das Leben ungemein.

3. *Tun* Sie nichts, sondern *seien* Sie. Machen Sie daraus ein spirituelles Ziel! Einsicht ist alles was Sie brauchen, um in Frieden und Freiheit nach Hause gehen zu können.

4. Um diese Einsicht zu gewinnen, lesen Sie die Punkte 1 bis 3 noch einmal.

5. Alles, was existiert, ist Bewusstsein, und auch Sie sind Bewusstsein! Als unendliche Intelligenz, die in der dritten Dimension tanzt, können Sie weder Fehler machen noch Ihr Schicksal vermasseln. Ihr Schicksal war bereits erfüllt, als Sie in einen Körper schlüpften. Sie sind hier, weil die Quelle durch Sie diese herrliche dritte Dimension erfahren will, samt allen Dilemmas, in die unsere Gefühle uns stürzen.

6. Sie brauchen niemanden zu retten, auch nicht sich selbst – Sie können es gar nicht, selbst wenn Sie es wollten. Von nun an brauchen Sie nicht mehr Gottes kleiner Helfer zu sein.

Wenn einer von euch Suchenden oder Findenden diese Zeilen liest und mir eine einfachere Lösung anbieten kann, würde ich mich aufrichtig freuen. Sollte jedoch diese Lösung die einfachste sein, muss sie nach Ockham zugleich die einzig richtige sein.

Das größte Geheimnis des Übergangs

Vielleicht fragen Sie sich, warum gerade dieses Buch den Weg zu Ihnen gefunden hat. In den letzten zwei Jahren habe ich viele Briefe und E–Mails bekommen, die darüber berichten, wie die *Zwiebel* auf rätselhafte und synchronistische Weise Suchenden in die Hände gefallen ist. Das wäre ein großartiges Material für ein eigenes Buch. Manche fanden ihr Exemplar in Hongkong auf einem Flugzeugsessel oder in einer abgelegenen Gegend Indiens. Und mitunter erlebten die überraschten Leser gleich selbst ihren Übergang. Dieses Kapitel kann für Ihren Übergang durchaus die Rolle des Schicksals oder der Synchronizität spielen. Ich werde Ihnen das größte Geheimnis der ganzen spirituellen Suche und den Schlüssel zum Übergang verraten. Soviel ich weiß, hat das bisher noch niemand getan.

So wie ich es sehe, hat sich die Quelle im Laufe des Millionen Jahre dauernden Versteckspiels ganz allmählich und überaus subtil sich selbst offenbart. Da Sie in das menschliche Dilemma hineingeboren wurden, ist in Ihre DNS ein automatischer Auslöser eingebaut, den wir *Sehnsucht* nennen. Bisher war diese Sehnsucht ein sehr vager Wunsch, die Gedanken Gottes zu verstehen und ihm zu gehorchen. Schon die Höhlenmenschen schrieben den Kräften, die sie nicht verstanden, göttliche Eigenschaften zu. Rituale und Aberglaube entstanden an Lagerfeuern und spiegeln sich in Höhlenbildern wider.

Dann meldete die Quelle sich endlich zu Wort, nämlich als Moses, der die Juden anführte. Bis zum heutigen Tag ist die Sehnsucht, Gott zu kennen, bei den meisten Menschen nicht so stark, dass sie nach

Selbsterkenntnis streben würden – sie wollten immer nur Gottes Strafe entgehen. Dann lehrte Buddha um 500 v. Chr. Mitgefühl für alle lebenden Wesen. Später verkündete Mohammed seine Botschaft der Gnade für alle, die uns weh getan haben, weil Allah die Eine und reine Energie sei. Jesus vertiefte unser Verständnis ein wenig mehr, als er die Ethik „Auge um Auge" abschaffte und den Menschen riet, ihre Nächsten zu lieben wie sich selbst. Noch wichtiger ist der Hinweis, dass der Vater und Jesus eine einzige Energie sind.

Erkennen Sie, wohin der Trend geht? Im Laufe der Jahrhunderte tauchen immer wieder Erwachte auf und sorgen dafür, dass das Bewusstsein klarer wird und sich in Richtung des großen Überganges entwickelt, den wir derzeit erleben. Warum hat die Quelle sich nicht von Anfang an unmissverständlich offenbart? Wenn ich unsere lange Geschichte betrachte und sehe, wie die köstliche Vorfreude sich bis heute gesteigert hat, fällt mir auf, dass die Quelle immer mit Paradoxen arbeitet: Wenn Sie einen großen Plan haben, gehen Sie normalerweise logisch und Schritt für Schritt vor. Wenn Sie nun das genaue Gegenteil dieser menschlichen Logik tun, merken Sie, wie das göttliche Paradox der Quelle in der Regel wirkt.

Denken Sie daran, dass die Quelle ewige Wirklichkeit ist. Ein begrenzter Geist denkt: „Das muss wohl ziemlich langweilig sein!" Aber die unendliche Quelle ist verspielt, und sie amüsiert sich gerne auf eine Weise, die unser begrenzter Verstand niemals erfassen kann. Darum lüftet die Quelle den Schleier der Unwissenheit so langsam. Dieser Schleier war von Anfang an ein Teil des menschlichen Dilemmas.

Das bedeutet, dass es nun an der Zeit ist, die Sehnsucht nach Gotterkenntnis derart zu steigern, dass sie unerträglich wird – bis die Suchenden aufwachen und sich daran erinnern, wer sie wirklich sind. Sobald Sie sich daran erinnern, dass Sie das Bewusstsein sind, das alles ist, wird alles andere so klar und einfach, dass Sie nie wieder einen Lehrer brauchen, der Ihnen die spirituelle Realität erklärt.

Als ich meinen Übergang erlebte, spürte ich den krassen Unterschied zwischen dem, was ich jetzt sehe, nachdem der Schleier der Unwissenheit und des Vergessens sich gehoben hat, und der konventionellen, dreidimensionalen Weisheit darüber, was die Wahrheit sein soll. Ich muss zugeben, dass ich damals fürchtete, verrückt zu werden. Wie konnte etwas so Mysteriöses und Kompliziertes wie die Beziehung zwischen Mensch und Gott plötzlich so einfach und klar sein? Hatten wir nicht Millionen von Jahren im Sumpf des Aberglaubens gelebt und uns bemüht, zu Gott zu gelangen?

Aber es kommt noch besser! Was würden Sie davon halten, wenn ich Ihnen nach dieser langen Einleitung sagen würde, dass die Erlösung – der eigentliche Schlüssel zur Verarbeitung Ihres Weckrufs – von der Quelle raffiniert in alltäglichen Widerständen verborgen wurde? Ein emotionaler Widerstand sagt „Nein!" zur jetzigen Situation. Solchen Widerständen begegnen Sie vor und nach Ihrem Übergang mindestens ein Dutzend Mal am Tag. Sie sind ein integraler Bestandteil des Plans, den die Quelle erstellt hat, um sich selbst besser kennen zu lernen. Wäre unser Geist nicht so beschaffen, dass er sämtliche Gedanken polarisiert und zwei feindlichen Lagern – Begehren und Widerstand – zuweist, könnten wir nicht all die negativen Gefühle empfinden, deren Ursache der Widerstand ist. Und wenn wir keine negativen Gefühle hätten, um das Leben auszukosten, könnte die Quelle die eine Hälfte ihres Daseinszwecks – mit Hilfe der Menschen sich selbst zu erkennen – niemals verwirklichen. Trotzdem haben wir geglaubt, wir müssten negative Gefühle loswerden, in positive verwandeln oder wenigstens abschwächen.

Welcher Avatar hat uns je gesagt, dass das Geheimnis des großen Übergangs eine wundersame Kraft ist, die es uns erlaubt, „Ja" zu tanzen, wenn der Widerstand „Nein" sagt? Dennoch ist es wahr. Diese Kraft ist der *Beobachter*, der sich nicht mit dem Widerstand identifiziert, sondern mit sich selbst als dem Bewusstsein, das den Zweck aller Widerstände versteht.

Eine Idee, die beim Intensivkurs am Wochenende fast immer auftaucht, ist die Erwartung, nach dem Übergang paranormale Kräfte zu besitzen – nichts Ausgefallenes, sondern ganz banale Fähigkeiten, wie auf Wasser oder durch Wände zu gehen, Krebs zu heilen und Gedanken zu lesen. Denken Sie einen Augenblick darüber nach. Wenn das zum Übergang gehörte, wären Sie dann auch nur ein Jota glücklicher, freier oder erfüllter, sobald Sie sich daran gewöhnt hätten? Natürlich nicht; denn auch diese Fähigkeiten wären nur ein Produkt Ihres Geistes. Sie wären etwas da draußen. Aber Ihr einziges Glückszentrum befindet sich in Ihrem uralten Gedächtnis, in der Erkenntnis, wer Sie sind.

Stellen Sie sich nun ein Wunder vor, das so großartig ist, dass kein Mensch es je erlebt hat. Ich bin sicher, dass alle Erwachten der Vergangenheit davon wussten, aber vergaßen, es zu erwähnen, weil die Welt nicht reif genug war, um es in seiner ganzen Tragweite zu verstehen.

Jedes Mal, wenn ein Widerstand sich rührt, versucht der Geist sofort und automatisch mit ganzer Kraft, die unangenehme Empfindung aufzulösen. Aber beim Übergang tritt der Beobachter vor und überwältigt das „Nein" mit einem entspannten und belustigten „Ja". Dies ist eine vierdimensionale Fähigkeit, die niemand besitzt, der mit beiden Füßen in der dritten Dimension steht. Der Beobachter tanzt „Ja" zu einem „Nein", und das ist der Schlüssel zum Glück, zur Erlösung auf der Ebene der tieferen Einsicht und zur Erinnerung an das wahre Selbst. Ohne andauernde Widerstände, die Sie in die jetzige Situation hineinführen, würden Sie rasch vergessen, wer Sie sind. Sie sind *Satchidananda,* und wenn Sie „Ja" zum dreidimensionalen „Nein" tanzen, vergessen Sie das nicht mehr!

„Ja" zu tanzen trotz eines „Nein" ist die praktische und natürliche Folge, wenn ein getrenntes kleines „Ich" sich daran erinnert, dass das Bewusstsein alles ist, *und dass ich Bewusstsein bin.* Alles, was existiert, ist genau so, wie es sein soll. Das Wunder und das Geheimnis des getanzten „Ja" als Reaktion auf das natürliche „Nein" ist eine übernatürliche Umarmung all dessen, was ist.

Kapitel 6

Mangos und Erleuchtung

Als ich nach meiner Entlassung aus dem Gefängnis mit meiner Satsang-Tour durch die Welt begann, wurde mir klar, dass der Vorgang meines eigenen Übergangs keineswegs einzigartig ist. Tausende von anderen Menschen erzählten eine ähnliche Geschichte. Ich erkannte beispielsweise, dass alle Suchenden Sehnsucht nach der Heimat haben, und diese Sehnsucht ist so stark, dass sie letztlich in die dunkle Nacht der Seele führt. Aber wo ist diese Heimat? Die Heimat ist die Einheit, die wir bereits haben, und nach der wir uns dennoch sehnen, solange wir verkörpert sind. Die Heimat ist meine ursprüngliche Natur ohne die verwirrende und illusorische Trennung. Die Heimat ist Schönheit, Ehrfurcht und Trost im Augenblick, die Gewissheit, dass alles gut ist und genau so, wie es sein soll, so dass ich nichts reparieren oder ändern muss.

Ich fand etwas über baumgereifte Suchende heraus, was ich heute *reife Mango* nenne: Egal wie sehr sie sich bewusst anstrengten, den Weg nach Hause zu finden, letztlich wurden sie reif und fielen vom Baum des Suchens in das Entzücken der endlich gefundenen wahren Heimat. Da ich etliche Jahre in unserem Zentrum in Costa Rica verbracht habe, bin ich mit Mangos sehr vertraut; denn dort gibt es viele Bäume mit verschiedenen Mangoarten. Einige Male im Jahr versucht der Wind, die Früchte von den Ästen zu pusten, aber er schafft es nicht. Die kleinen Mangos klammern sich mit aller Kraft fest, und nichts kann sie abschütteln. Doch eines Tages kommt auch für sie der große Übergang. Sie sind vollkommen reif und fallen einfach vom

Baum, ohne Mühe und ohne Schütteln. Einen Tag zuvor sind sie noch ein wenig bitter, zwei Tage später sind sie überreif. Wenn Sie einmal gesehen haben, wie die Mangos alle auf einmal reif werden, verstehen Sie die leuchtenden Augen der Mangofans – wir können in dieser Zeit gar nicht genug von diesen köstlichen Früchten bekommen.

Es geht mir darum, dass alle reifen Suchenden in unserer Zeit von ihrer „spirituellen Reise" abfallen und sich einfach entspannen in der Gewissheit, das alles im Leben so, wie es ist, gut ist. Warum gerade jetzt? Weil es Zeit ist. Weil der große Übergang endlich kommt. Hier und heute! Ohne Anstrengung.

Zum Teil war mein Übergang amüsant; denn bevor er sich ereignete, hatte ich keine Ahnung, dass er real ist. Mir fehlte die spirituelle Einsicht in die Harmonie und in den Kontrast, die der Tanz der Quelle in diese Welt der Erscheinungen bringt.

Erst als ich erkannte, wie das Bewusstsein in der dritten Dimension spielt, verstand ich auf einer Ebene jenseits des Intellekts, dass alles, was ist, Bewusstsein ist. Ich will nicht behaupten, das sei nie zuvor gesagt worden. Aber ich hatte in all den Jahren meiner intensiven spirituellen Experimente und Forschungen nie davon gehört. Und als mir das klar wurde, blieben keinerlei Fragen und Zweifel zurück.

Als ich den Teilnehmern an meinen Intensivkursen davon berichtete, nickten zu meinem Erstaunen alle Köpfe in völliger Übereinstimmung, als sei dies die natürlichste Erklärung der Quelle.

Wir können also sagen: Die Quelle pulsiert wie jede Energie, das heißt, sie wechselt vom Zustand der Ruhe in das Universum der Erscheinungen. Im Ruhezustand gibt es nur unendliche Expansion und reines Potenzial, jedoch keine Grenzen. Dort erfährt die Quelle ihre Natur oder Essenz als *Satchidananda*. Können wir behaupten, dies sei die positive Seite ihrer wahren Natur? Sobald die Quelle in die Welt der Erscheinungen eintritt, entsteht Dualität, da jeder Aspekt der dritten Dimension begrenzt ist. Das Gegenteil des Positiven ist die Schattenseite der Quelle. Im Ruhezustand erlebt sie nur die positiven Aspekte von *Satchidananda* – aber es fehlt die umfassende Erfahrung, die das Negative einschließt. Wie fühlt sich „die dunkle Seite der Kraft" an, um aus *Krieg der Sterne* zu zitieren?

Denken Sie daran, dass wir über eine Energie reden, die im Zustand der Ruhe völlig unpersönlich ist. Um persönliche Erfahrungen zu machen, hat sie nur eine Möglichkeit: die unendliche Expansion in einem Geist/Körper-Organismus zu begrenzen. Obwohl die gesamte dritte Dimension die Energie des Bewusstseins, also der Quelle ist, gibt es deshalb noch keine persönliche Energie, die hier den Verkehr regelt, keinen Vater im Himmel, der spricht: „Also, du da wirst erleuchtet, aber du dort mit dem Bart nicht! Du wirst befördert, und dein Kollege wird gefeuert. Joe bekommt eine Seelengefährtin, und Sally muss allein leben!"

So ist es nicht. Die Quelle hat die dritte Dimension so eingerichtet, dass alles automatisch und mit maximaler Effizienz funktioniert, ohne persönliche Überwachung und innerhalb der unendlichen Intelligenz.

Ich habe einmal ein Gespräch belauscht, das die Quelle mit sich selbst führte:

So, jetzt ist es wieder Zeit, die Ruhephase zu beenden und in die Welt der Erscheinungen einzutauchen, damit Schwung in die Bude kommt. Diesmal möchte ich die Schattenseite meiner positiven, liebevollen, bewussten und glückseligen Natur kennen lernen. Am besten erschaffe ich ein anderes Universum und lebe dort wieder als Mensch, damit ich die ganze Bandbreite der Gefühle auskosten kann. Aber zu extrem soll das Ganze nicht werden.

Ich werde dafür sorgen, dass jedes menschliche Leben mir völlig neue Erfahrungen vermittelt, wie ich sie nie zuvor gehabt habe und nie wieder haben werde. Was Freiheit und Grenzen während dieses Lebens betrifft, so soll totale Ausgeglichenheit herrschen. Kein Leben soll besser oder schlechter sein als irgendein anderes. Jedes Geschöpf soll absolut einzigartig sein und eine einzigartige DNS mit allerlei Anlagen haben. Eine einzigartige Konditionierung soll jedes Wesen noch mehr differenzieren, und diese Programmierung soll von der Familie und von der Gesellschaft ausgehen.

Meine unendliche Intelligenz wird unzählige verschiedene Leben hervorbringen, und ich werde all die Gefühle empfinden, die möglich sind, wenn ich mein unendliches Potenzial in der Welt der Erscheinungen begrenze.

Damit ich wirklich alle Gefühle kennen lerne, lege ich fest, dass Ausgewogenheit zwischen Freiheit und Begrenzung herrschen soll, aber auch eine Balance der Kontraste. Einerlei, was jemand dort erlebt, das Gegenteil soll ebenfalls erlebt werden. Selbst innerhalb eines einzigen Lebens wird es früher oder später ein Kontrastprogramm geben, um auszugleichen, was bis dahin geschehen ist. Jedes einzelne Wort, das ein Mensch spricht, soll eine Idee sein, deren Ursprung die Dualität und Begrenztheit des Geistes ist, so dass das genaue Gegenteil dieser Idee ebenso wahr sein wird. Jedes Gefühl in jedem Menschen soll von beiden Seiten her erfahren werden.

Wenn es Gutes geben soll, dann muss es auch Böses geben. Der Freude wird das Leid gegenüberstehen. Gesunde müssen Krankheit erfahren, und das Leben muss letztlich in den Tod münden. Das soll für alle meine Erscheinungen gelten.

Damit der Strom der Gefühle nie abreißt, wird jeder Mensch einen Geist bekommen, der alle Gedanken polarisiert und entweder „dafür" oder „dagegen" ist. Der Geist wird sich also nach dem, was er für gut oder schlecht hält, sehnen und sich gleichzeitig dagegen wehren. Verlangen und Widerstand lösen dann Erwartungen aus, die immer enttäuscht werden – einerlei, worum es geht. Das wird zwar als Leiden empfunden, aber es garantiert, dass ich auch die Schattenseite von *Satchidananda* erfahre.

Kein Gefühl soll davon unberührt bleiben; alle sollen ins Gegenteil verkehrt werden – aber stets so, dass jedes Leben letztlich ausgewogen ist, also Freiheit und Begrenzung, positive und negative Gefühle in gleichen Anteilen enthält.

Nach dem Übergang verstehen wir, welche Folgen das alles in unserer Lebenswirklichkeit hat. Wir begreifen, dass *wir* das Bewusstsein sind, das all diese Erfahrungen macht, und dass alles vollkommen dem göttlichen Plan entspricht. Darum brauchen wir negative Gefühle nicht mehr zu unterdrücken oder auszuleben. Wir brauchen sie nur noch zu beobachten, ohne uns mit ihnen zu identifizieren, weil sie dem widersprechen, was „sein soll". Es sind lediglich Variationen der Seifenoper, die wir dritte Dimension nennen.

Dann wird uns klar, dass wir am göttlichsten sind, wenn wir in unserer Schwäche am menschlichsten sind. Wir müssen unsere Erfahrungen als wirklich empfinden, damit wir sie maximal auskosten können. Eine heiße Leidenschaft kommt uns eben nicht wie eine Illusion oder wie die Maya der östlichen Spiritualität vor.

Empfinden Sie Wut, Neid, Eifersucht, Lust oder Niedergeschlagenheit? Gut! Genau darum sind Sie hier. Was tun Sie gegen diese Dämonen? Nichts! Setzen Sie sich hin und beobachten sie, und versuchen Sie nicht, sie zu vertreiben oder zu lindern. Dann beobachten Sie plötzlich auch, wie Sie „Ja" zum großen „Nein" der täglichen Widerstände tanzen. Und das, liebe Mittänzer, nenne ich den großen Übergang in die vierte Dimension. Sie werden nicht unbedingt „besser". Nur Ihre Wahrnehmung der Wirklichkeit verändert sich so, dass Sie jetzt ein bewusster Beobachter sind, der keine Entscheidungen trifft. Ihr Leben lang haben Sie versucht, ein spiritueller Krieger zu sein, der sein Schicksal nach seinen momentanen Vorstellungen gestaltet. Genug ist genug!

Kapitel 7

Die Satsang-Gruppe

Das alte spirituelle Paradigma behauptet: Wer ein Suchender ist und sich nach Selbsterkenntnis und nach dem wahren Zuhause sehnt, der sucht einen Guru und unterwirft sich unter der Anleitung dieses Lehrers einer strengen spirituellen Disziplin.

Das klappt vielleicht bei einem Suchenden unter Millionen. Und Spaß macht es ganz gewiss nicht!

Ich sehe ein neues Paradigma als Folge der gewaltigen Energieverlagerung in diesem neuen Jahrtausend. Aus irgendwelchen Gründen spielt die Quelle jetzt mit einer neuen Erfahrung in der dritten Dimension. Endlich sind *alle* Suchenden unterwegs nach Hause, nicht nur ein paar Erwachte hier und da. Wir brauchen keinen Guru oder Avatar mehr, um beim großen Übergang dabei zu sein.

Der Paradigmenwechsel spornt jenes eine Prozent der heutigen Weltbevölkerung an, das eine tiefe Sehnsucht empfindet. Die Quelle hat diese Sehnsucht derart gesteigert, dass wir sie nicht länger ignorieren können, und dabei benutzt sie eine sehr einfache, spielerische und schlaue Methode. Meiner Meinung nach ist das neue Paradigma die Satsang-Gruppe.

Wie gründen Sie eine Satsang-Gruppe in Ihrer Umgebung? Das ist ein gutes Thema für dieses Buch. Denken Sie daran, dass Satsang die mächtigste Demonstration der vierten Dimension ist, die wir kennen. Dagegen verblasst selbst die Macht der Sonne.

Sechzig Millionen Menschen werden beim großen Übergang keinen anderen Guru haben als die Satsang-Gruppe. Ein alter Spruch sagt: „Wenn der Schüler bereit ist, kommt der Lehrer." Also, da sind wir!

Und hier kommt die Satsang-Gruppe ins Spiel.

Ich besuche an jedem Wochenende neue Satsang-Gruppen in anderen Städten und sehe dort Satsang am Werk. Darum bin ich so begeistert und davon überzeugt, dass Satsang Suchende in die vierte Dimension führen kann. Die Reaktionen sind einhellig. Der Übergang ist eindeutig zu spüren. Und soviel ich weiß, ist Satsang das einzige Hilfsmittel. Warum war die Macht des Satsang viele Jahrtausende lang ein gut gehütetes Geheimnis?

Jesus hat uns einen ziemlich deutlichen Hinweis gegeben, als er sagte: „Wenn zwei oder drei versammelt sind in meinem Namen, dann bin ich (die Macht des Satsang, die göttliche Weisheit, die innere Führung) mitten unter ihnen."

Die Quelle ist derzeit offenbar sehr damit beschäftigt, einen Milleniums-Übergang auszulösen. Ein Leben lang glaubten Sie zu wissen, wer Sie sind; jetzt haben Sie das Gefühl der Identität verloren und empfinden einen Verlust, den ich „dunkle Nacht der Seele" nenne. Ihr armer Körper wird so umgebaut, dass er die höhere Schwingung des Übergangs verkraftet, die bei immer mehr Menschen zu Unwohlsein, chronischer Müdigkeit und sogar Nervenzusammenbrüchen führt. Aber es gibt einen Lichtblick, Ihren engsten Freund und Verbündeten, Ihren neuen spirituellen Lehrer: Satsang!

Satsang ist ein altes Sanskritwort, das sowohl „heiliges Beisammensein" als auch „Diskurs der Wahrheit" bedeutet. Satsang stellt sich unweigerlich dort ein, wo zwei oder mehr Suchende sich versammeln, um über ihre „heilige Wahrheit" zu reden. Eine heilige Wahrheit ist alles, was in dieser Situation aus dem Mund oder aus dem Herzen kommt!

Viele Menschen in unserer Zeit warten atemlos auf einen neuen Avatar, der mit einer neuen Lehre der Erleuchtung das neue Jahrtausend einleitet. Nach der buddhistischen Überlieferung heißt dieser Avatar Maitreya. Aber wo ist er? Er ist bereits hier; denn *maitreya* heißt im Sanskrit „mein Freund". Das also ist der Wechsel vom Suchenden zum Findenden: Freunde teilen ihre heiligen Wahrheiten in Satsang-Gruppen miteinander.

In jeder Stadt, in der Suchende wohnen, werden Satsang-Gruppen die gute Botschaft verbreiten. Als ich im Jahr 1978 die ersten Ecstasy-Pillen bekam, wollte niemand sie probieren. Aber ein paar Freunde reichten sie in ihren inneren Zirkeln weiter, und nach wenigen Jahren hatte Ecstasy sich über den ganzen Globus ausgebreitet. Das ist das Prinzip der Satsang-Gruppe.

Die wahre Macht einer Satsang-Gruppe erfahre ich immer wieder bei meinen Intensivkursen.

Die Einstellung

Betreten Sie den Kreis mit offenem Herzen. Es gibt keine Worte, die das Unendliche erklären und die der Verstand begreifen kann. Früher glaubten wir den Weg und das Ziel zu kennen. Heute wissen wir nur noch eines: dass wir gar nichts wissen!

Betrachten Sie die Gesichter der anderen Teilnehmer. Sehen Sie in jedem Geist/Körper-Organismus eine Erscheinung der Quelle. „Alles, was existiert, ist Bewusstsein, und ich bin Bewusstsein, so wie alle anderen im Raum!"

Jedes Mal, wenn jemand den Mund aufmacht, spricht er oder sie die reine, heilige Wahrheit – einerlei, wie die Worte sich anhören mögen. Worte sind nicht wichtig. Satsang wirkt nicht durch Worte, sondern trotz aller Worte. Die Quelle seiner Macht ist die Energie-übertragung, zu der es kommt, wenn Sie sich versammeln, um Ihre heilige Wahrheit zu erfahren, unabhängig davon, ob überhaupt etwas gesprochen wird.

Satsang hat keine Tagesordnung. Wir sind nicht hier, um jemanden von unserer einzigartigen Erfahrung und Wahrheit zu überzeugen. Wir sind hier, um Energie und Weisheit nach einem mächtigen Quantensprung miteinander zu teilen. Das geschieht ganz von selbst, wenn eine Satsang-Gruppe sich bildet.

Satsang will keine speziellen Probleme lösen und niemanden beraten. Wir können unsere Widerstände äußern; aber das ist ein Teil des Prozesses. Die Antworten kommen von innen, nicht von außen.

Wenn wir von der Einstellung reden, so lautet ein Schlüsselwort *Respekt*. Bitte unterbrechen Sie keinen Teilnehmer, der über seine Erfahrungen berichtet. Warten Sie, bis er fertig ist. Dies ist keine Diskussions- oder Selbsthilfegruppe. Beim Satsang spüren wir immer reine Magie, weil die ganze Macht des Universums anwesend ist und uns auf der intuitiven Ebene zur Verfügung steht, wenn das Herz offen ist. Könnte der Geist unsere dreidimensionalen Probleme mit Worten lösen, dann hätte er es schon vor Äonen getan. Der Geist und Worte können das nicht. Satsang kann es immer – und zwar ohne Worte!

Die Macht der Stille ist ein Teil der Satsang-Magie. Wenn Pausen eintreten, genießen Sie die Stille, die mächtiger ist als Worte. Da wir immer noch mit einem Fuß in der dritten Dimension stehen, sind wir zwar auf Worte angewiesen, aber beim Satsang tritt unweigerlich Stille ein. Heißen Sie die Stille willkommen; denn sie bringt Sie in Kontakt mit der Macht des Satsang.

Formale Hinweise

1. Jede Satsang-Gruppe bestimmt ein Mitglied, das für eine gewisse Zeit die Leitung und Organisation übernimmt. Bei dieser Aufgabe sollten die Teilnehmer sich abwechseln; denn die Erfahrung zeigt, dass die Gruppe sich auflöst, wenn die Kontaktperson immer die gleiche bleibt und die Treffen immer in ihrer Wohnung abgehalten werden. So ist die menschliche Natur!

2. Wechseln Sie die Treffpunkte. Meist versammeln wir uns in der Wohnung eines Teilnehmers, sofern der Satsang nicht regelmäßig in einem öffentlichen Gebäude abgehalten wird.

3. Einigen Sie sich über den Beginn und die Dauer – meist eine bis zwei Stunden – der Versammlung, und halten Sie sich daran.

4. Eine Sitzung beginnt normalerweise mit 15 bis 20 Minuten Stille oder Meditation. Dann spielen wir Musik (zum Beispiel Peter Makenas erwachte Kompositionen) oder schauen uns ein kurzes Satsang-Video an oder hören eine Satsang-Kassette, um dem Treffen mit Worten eine Grundlage zu geben. Dann folgt ein offener, liebevoller Satsang, und wir beenden das Treffen mit weiteren 10 Minuten Stille.

5. Wenn Sie nicht vergessen, dass der Inhalt der Worte letztlich unwichtig ist, können Sie mit den anderen vieles teilen, zum Beispiel:
   • Ihre Erfahrungen mit dem Übergang
   • das menschliche Dilemma
   • Ihre Widerstände
   • Ihre Erlösung
   • ein Gedicht (auch ein eigenes)
   • ein Lied
   • kurze Abhandlungen, die Sie inspiriert haben
   • einen Witz
   • ein Musikstück
   • und last, but not least, Stille.

   Bei den Intensivkursen am Wochenende spielen wir mit der Liste unserer Lieblingsprobleme und benutzen die Aussagen im Kapitel „Macht das Leben schon Spaß?" der *Zwiebel*, um alle Anwesenden zur Teilnahme am Satsang zu ermuntern, damit sie die Magie selbst erfahren und dadurch alle anderen mit ihren „Worten" erreichen. Einerlei, welche Worte Sie sprechen, Sie übertragen Energie von hoher Frequenz auf alle anderen im Kreis, sofern Ihr Herz offen ist.

6. Halten Sie sich an die Formalitäten, und informieren Sie neue Mitglieder darüber.

7. Sagen Sie es den anderen, wenn Sie wünschen, dass einer Ihrer Beiträge vertraulich bleibt.

Unterstützung beim Start Ihrer
Satsang-Gruppe

Wir helfen Ihrer Satsang-Gruppe beim Start, unter anderem mit Video- und Audiokassetten. Später schicken wir Ihnen neues Material, um die Pumpe der Inspiration in Gang zu halten. Über das Internet (www.SatyamNadeen.com) können Sie Verbindung mit anderen Satsang-Gruppen aufnehmen. Wenn meine Vision sich bewahrheitet, werden die Satsang-Gruppen sich über den ganzen Planeten ausbreiten und den großen Übergang, den alle Suchenden durchmachen, mit ihrem Licht und ihrer Weisheit erleichtern. Das ist meine wichtigste Botschaft an Sie; sie ist viel wichtiger als alle Worte eines Buches oder Intensivkurses.

Satsang ist dort, wo Sie Freude, Weisheit und Inspiration finden und das unglaublichste Phänomen kennen lernen, das es in der Geschichte dieses Planeten je gegeben hat: den Übergang von der dritten in die vierte Dimension, noch während wir verkörpert sind.

Wenn Sie eine Gruppe in Ihrer Umgebung gründen wollen, nehmen Sie bitte Kontakt mit unserem Büro auf. Wenn sich weitere Interessenten in Ihrer Nähe melden, teilen wir Ihnen die Namen mit. Und sobald Ihre Gruppe groß genug ist, um einen Intensivkurs zu sponsern, werde ich sie besuchen und mit ihr arbeiten.

Kapitel 8

Weiß jemand wirklich, was Erleuchtung ist?

Von allen möglichen Themen im Bereich des Spirituellen ist dieses bei weitem am verwirrendsten. Als *Erleuchtung* wird meist der Zustand des erwachten, kosmischen Bewusstseins bezeichnet, verbunden mit Einheit, Freiheit, Erfüllung, Selbsterkenntnis und so weiter.

Für mich besteht Erleuchtung darin, dass ein Mensch sich allmählich, bisweilen auch plötzlich, daran erinnert, wer er seinem Wesen nach ist. Die uralte Erinnerung daran, dass alles Bewusstsein ist und *dass ich ebenfalls Bewusstsein bin*, kommt aus einem vergessenen, gut verborgenen Winkel unseres Bewusstseins hervor. Sobald wir einen ersten Blick in diesen Winkel geworfen haben, erleben wir einen kleinen Übergang, eine veränderte Wahrnehmung der Realität, die unseren Alltag langsam verändert. Wir haben unser Leben lang geglaubt, wir hätten einen freien Willen und wir seien „die Handelnden"; nun löst diese große Illusion sich auf, während die Blicke in den Winkel immer häufiger werden und länger dauern. Und eines Tages werden wir von einer geradezu ekstatischen Begeisterung über die totale Freiheit erfasst, die jeder erlangt, der weiß, wer er ist.

Beim Satsang versuche ich, das Wort *Erleuchtung* zu vermeiden. Ich ziehe den *Übergang* vor, damit keine Verwirrung entsteht. Die „Erleuchtung" hat sich nämlich im Laufe von 5000 Jahren zu einem gewaltigen, unergründlichen Mythos entwickelt. Ich spreche vom

„Übergang" oder „Wechsel", weil diese Begriffe genau das beschreiben, was geschieht.

Ein Mensch kommt als Erscheinungsform der Quelle zur Welt. Nach den Spielregeln, welche die unendliche Intelligenz aufgestellt hat, vergessen wir jedoch, wer wir sind, sobald wir körperliche Gestalt annehmen. Wir glauben, wir seien in der dreidimensionalen Welt die „Handelnden", die Gestalter unseres Schicksals. Daraus entstehen die vielen negativen Gefühle als natürliche Folge unserer enttäuschten Erwartungen. Genau so soll es sein. Wir leben in der dritten Dimension, um uns selbst vollständig kennen zu lernen, und das schließt die Schattenseite der Quelle ein, die nur in einer Dimension der Dualität und der polaren Gegensätze sichtbar wird.

Unter normalen Umständen tappt ein Mensch etwa 70 Jahre lang im Dunkeln, ohne zu ahnen, dass er mit der Quelle der sichtbaren und unsichtbaren Wirklichkeit eins ist. Dann stirbt er. Und dann folgt das große Aha-Erlebnis. Die Quelle hat ein ganzes Leben lang mit sich selbst Versteck gespielt; und jetzt, im Augenblick des Todes, erkennen wir plötzlich, dass wir nicht das armselige, begrenzte, machtlose, von allem getrennte kleine Wesen sind, das wir zu sein glaubten. Plötzlich findet die Quelle sich selbst, und es macht ihr offensichtlich Freude, sich zu finden, nachdem wir ein Leben lang verwirrt waren und nach dem Sinn des Lebens gesucht haben.

Dies ist das normale Muster. Wir alle wissen, dass niemand je zurückgekommen ist, der wirklich tot war. Also konnte uns noch niemand von seinem Aha-Erlebnis berichten. Wohlgemerkt, ich spreche nicht von Nahtod-Erfahrungen, sondern von bereits verwesten Körpern. Darum musste ich auf meine innere Weisheit und auf meine Vision zurückgreifen, die mir das alles während meines Übergangs klar gezeigt haben.

Soweit wir wissen, hat es einen Übergang dieser Größenordnung nie zuvor gegeben. Anstatt durch das ganze Leben schlafzuwandeln und erst im Tod aufzuwachen und sich an ihre wahre Natur zu erinnern, erwacht die Erinnerung bei vielen Suchenden schon zu Lebzeiten, noch während sie einen Körper haben. Wer sind diese Suchenden?

Es sind jene von uns, denen völlig bewusst ist, dass wir eine tiefe Sehnsucht in uns tragen. Wir wollen „nach Hause" gehen und die Gedanken Gottes kennen. Wir haben das Gefühl, durch einen enormen kosmischen Irrtum auf dem falschen Planeten gelandet zu sein. Was die restlichen 99 Prozent der Bevölkerung antreibt und motiviert – Familienleben, eine 40-Stunden-Woche, Geselligkeit, Freizeit und so weiter –, füllt uns nicht aus. Wir wollen mehr. Wir wissen zwar nicht genau, was wir brauchen, aber es hat etwas mit Gott und unserer Beziehung mit ihm zu tun.

Dann verändert ein neues kosmisches Energiefeld aus heiterem Himmel die Art und Weise, wie wir die dritte Dimension bisher wahrgenommen haben. Zuerst erreicht unsere Sehnsucht ihre höchste Intensität. Nichts befriedigt uns mehr außer das Streben nach Einheit. Wir stürzen in eine lang anhaltende Phase, die ich *dunkle Nacht der Seele* nenne. Während wir dort leiden, wird der Körper anscheinend irgendwie umgebaut, so dass er die höhere Schwingung des Übergangs verkraftet.

Dann erhaschen wir die ersten Blicke auf den Übergang, und die ersten leisen Erinnerungen an unsere wahre Natur stellen sich ein. Wir denken: *Aha, jetzt kommt der Übergang in die vierte Dimension, von dem Nadeen redet.* Aber diese Momente gehen vorüber, und wir sind erneut deprimiert und enttäuscht. Dann kehren sie zurück, und dieses Mal ist der Einblick tiefer und länger – trotzdem verschwindet er wieder. Dieser Übergang wird zum Hin und Her zwischen der dritten und vierten Dimension, und er dauert mindestens zwei Jahre oder viel länger; erst dann beginnt er sich zu stabilisieren, und wir befinden uns in einem dauerhaften Zustand der absoluten Gewissheit: *Alles, was existiert, ist Bewusstsein, und ich bin ebenfalls Bewusstsein.* Der wirklich große Übergang erfolgt, wenn Sie verstehen: Nicht nur ich bin Bewusstsein, sondern auch alle anderen. Damit haben Sie sich weit vom „Normalzustand" auf Erden entfernt, den Jean-Paul Sartre so treffend beschrieben hat: „Die Hölle, das sind die anderen!"

Im Gegensatz zur konventionellen Weisheit ist die Erleuchtung kein Ereignis – wir fallen nicht wie vom Blitz getroffen als Erleuchtete vom

Pferd wie Paulus im Neuen Testament. Wir wechseln auch nicht unvermittelt und vollständig in die vierte Dimension der Wahrnehmung und der Bewusstheit. Es ist ganz anders! Hüpft etwa die Sonne vom Horizont zum Zenit? Nein, die Natur entfaltet sich gerne langsam und bedächtig. Und uns steht schließlich die ganze Ewigkeit zur Verfügung.

Gewöhnen Sie sich an den Gedanken, dass Sie mit Sicherheit ein Suchender sind, wenn Sie dieses Buch lesen. Das heißt, Sie sind an dem großen Übergang intensiv beteiligt. Der Übergang hat nichts mit allen Ideen zu tun, die Sie bisher hatten, etwa der Vorstellung von einem plötzlichen Erwachen. Er ist so subtil und allmählich, dass selbst Ihre engsten Freunde und Angehörigen nicht merken, wie sehr Sie sich verändern. Vielleicht ist nicht einmal Ihnen selbst klar, wie drastisch Ihre Wahrnehmung der Wirklichkeit sich wandelt. Das geschieht fast nie plötzlich, sondern Sie müssen in der Regel ein paar Jahre lang die dunkle Nacht der Seele durchmachen und Ihr Energiemuster umformen. Dann können Sie sich vor eine Satsang-Gruppe stellen und mit totalem Selbstvertrauen sagen: „*Ich bin Bewusstsein*, und diese Erkenntnis hat jeden Aspekt meines Lebens in eine neue Dimension katapultiert. Dort habe ich eine neue und vollkommene Freiheit gefunden.“

Kapitel 9

Mythos und Wirklichkeit der Erleuchtung

Was immer Sie über die Erleuchtung zu wissen glaubten, ehe Sie dieses Buch lasen, ist wahrscheinlich mehr Mythos als Realität – sofern Sie ein Suchender sind. Und dieser Mythos hindert Sie daran, Ihre neu gefundene Freiheit voll zu genießen, während Sie sich durch die Phasen des großen Übergangs bewegen.

Als ich meinen Übergang erlebte, hatte ich keine Ahnung, dass ich ihn fünf Jahre später in einem Buch und auf meiner Satsang-Tour als „Erwachen" bezeichnen würde. Damals passte er einfach nicht zu meinen illusionären Vorstellungen von Erleuchtung. Dann hatte ich die Freude und das Privileg, nach meiner Entlassung aus dem Gefängnis mit über 10.000 Suchenden in Kontakt zu kommen. Während der Intensivkurse tauschten wir uns darüber aus, was wir früher unter Erleuchtung verstanden hatten. Damals lachten wir Tränen – allerdings nicht alle. Einige hielten mit aller Kraft an ihrem Glauben fest, dass ihr Wunschdenken sich eines Tages erfüllen werde. Aber in jedem Intensivkurs gibt es viele Suchende, bei denen der Übergangsprozess bereits so weit fortgeschritten ist, dass sie sich als Findende betrachten. Diese Leute stellen die Dinge immer richtig! Alte, ausgediente Ideen haben angesichts so vieler authentischer Erfahrungen mit dem Übergang einfach keine Chance. Der Satsang ist keine Theorie. Er befasst sich mit den tatsächlichen Erfahrungen aller Teilnehmer, die über das Abenteuer ihres Lebens berichten. Anfangs waren sie schwache, mutlose Suchende, dann erleichterte und fröhliche Findende, die jetzt aus eigener Erfahrung über ihre neue Freiheit sprechen.

Auf den folgenden Seiten gehe ich auf einige Mythen über die Erleuchtung ein und konfrontiere sie mit der Wirklichkeit im Lichte des Übergangs. Soviel ich weiß, ist dies die erste Diskussion dieser Art in gedruckter Form. Die Mythen sind nichts weiter als hübsche Ideen, die vielleicht schon Jahrtausende alt sind. Die Realität sind die authentischen Erfahrungen der Suchenden, die dank des Kraftfeldes einer neuen Energie zu Findenden wurden.

Mythos:
Die Erleuchtung ist ein Gipfelerlebnis

Wenn Sie mit der spirituellen Sexualität des Tantra vertraut sind, kennen Sie auch den Ausdruck „Gipfelorgasmus". Er kommt und geht sehr schnell. Die tantrischen Yogis streben jedoch nach „Tal-Orgasmen", die sich sehr langsam zusammenbrauen, nie „kommen" und ein stundenlanges lustvolles Erlebnis vermitteln.

Das Gleiche gilt für den Mythos von der Erleuchtung. Über das so genannte kosmische Bewusstsein las ich zum ersten Mal in den Sechzigerjahren in dem Buch „Die Erfahrung des kosmischen Bewusstseins" von Richard Maurice Bucke. Er beschreibt darin seine Version der Erleuchtung und zitiert Menschen aller Zeitalter; dabei konzentriert er sich jedoch auf das, was wir Gipfelerlebnis nennen und was meiner Meinung nach *nicht* der große Übergang ist. Gipfelerlebnisse haben folgende Merkmale:

1. Ein Gipfelerlebnis könnte man als mystisch bezeichnen. Es kommt und geht, wann es ihm passt, und man kann es nicht herbeirufen wie einen Drogenrausch.

2. Die Gipfelerlebnisse, von denen ich in jedem Intensivkurs höre, sind voll von Einsichten, Gefühlen der Liebe, der Einheit und des Mitgefühls – dann trägt der Wind sie fort und der verwirrte Suchende wundert sich darüber, woher diese Gefühle kamen und warum sie verschwunden sind. Mit anderen Worten: Das Erlebnis ist mit Gedanken und Gefühlen verknüpft.

3. Diese Gipfelerlebnisse sind klar und überwältigend, lösen sich aber rasch in vage Erinnerungen auf, sobald man versucht, sie einem Freund oder auch sich selbst zu beschreiben. Sie kennen das, wenn Sie je mit einer Droge experimentiert haben, die das Bewusstsein verändert. Zwischen der tiefsten Einsicht Ihres Lebens und dem „Wie war das noch?" liegt nur ein Augenblick.

4. Sie kommen, sie gehen … und bleiben nie! Die größte Ernüchterung besteht darin, dass der Suchende nach dem Erlebnis – das eine Sekunde, einen Tag oder meinetwegen zwei Wochen gedauert hat – völlig davon überzeugt ist, jetzt ein Findender zu sein, ja sogar ein Erwachter, und dass diese Glückseligkeit nie vergehen wird. Aber sie vergeht immer! Und darum ist sie nicht der Übergang.

Ein Gipfelerlebnis ist zeitlich begrenzt. Sie hörten Ihren ersten Weckruf vielleicht am 16. August 1995 zwischen 6.30 Uhr und 14.10 Uhr. Und dann war es vorbei! Oh, diese Ekstase der Einsicht und dieser Schmerz, als Sie zurück in die dritte Dimension purzelten! Tja, so geht es mit mystischen Gipfelerlebnissen. Je höher der Gipfel war, desto schlimmer ist hinterher die Enttäuschung – das ist ein Energiegesetz. Sie bewegen sich eine Weile in vierdimensionaler Bewusstheit und fallen dann zurück in die dritte Dimension.

Die Wirklichkeit: Strebe nicht nach dem Gipfel, sondern nach dem Tal

Der Übergang, von dem ich rede, hat nichts mit den eben genannten Merkmalen zu tun. Er ähnelt viel mehr dem tantrischen Tal, abgesehen davon, dass Sie an irgendeinem Punkt das Spiel des Bewusstseins in dieser Welt der Erscheinungen für immer durchschauen. Der Übergang hat folgende Merkmale:

1. In das Übergangsbewusstsein können Sie jederzeit willentlich eintreten! Stellen Sie sich einen Fisch vor, der aus Wasser besteht und in einem Teich schwimmt und der weiß, dass er genau dasselbe ist, worin er schwimmt. Das Wasser ist das Bewusstsein, und das ist alles, was ist! Es gibt nur Bewusstsein! Sie brauchen nicht elf Stunden lang Zazen zu üben und dabei tief und langsam zu atmen, um diesen Zustand zu erreichen. Sie befinden sich nämlich

bereits darin und können sich darin entspannen, wann immer Sie wollen. Sie brauchen nur einen Augenblick still zu sein und dann zu fragen: „Wer ist sich in diesem Moment dieser Stille bewusst?"

2. Dieses Tal-Erlebnis spielt sich nicht im Gehirn ab und ist nicht mit bestimmten Gefühlen verbunden. Ich bewege mich mitten im Chaos und weiß instinktiv und intuitiv in meinem Wesenskern, dass alles in Ordnung ist! Ich denke nicht darüber nach und empfinde keine heftigen Emotionen – nur eine sanfte, liebevolle Dankbarkeit, die immer da ist, weil das Bewusstsein alles ist und weil ich Bewusstsein bin.

3. Sie haben kein vages Gipfelerlebnis, sondern Sie besitzen Wissen jenseits des Denkens, der Erfahrung, des Zweifels und aller Fragen. Dies ist das friedvolle Tal-Erlebnis des Übergangs. *Was* wissen Sie mit solcher Klarheit? Sie wissen, wer Sie sind, und zwar auf einer Ebene, die das übliche Urteilen und Bewerten des aktiven Geistes zum Verstummen bringt. Einerlei, was Sie durch die neuen Augen der Quelle dort draußen sehen, Sie können nichts mehr vermasseln und keinen Fehler mehr machen. Jetzt sind Sie ein friedvoller Mensch in einem friedvollen Universum, das Sie als „vollkommen" erkennen und das Sie nicht mehr als Gottes kleiner Helfer verbessern müssen.

4. Die Realität des Übergangs befördert Sie auf eine Bewusstseinsebene, die Sie nie mehr verlassen werden. Ich nenne diese Bewusstheit gerne „Beobachter", weil jeder diesen Begriff und diese Erfahrung versteht.

Als Sie ein Kind waren, hörten Sie Ihren Beobachter zu Ihnen sprechen, und Sie hörten zu. Dann wurde der Geist stark und beherrschte Ihr Leben, so wie es in der dritten Dimension sein soll. Nach lebenslanger fruchtloser Suche, gefolgt von der dunklen Nacht der Seele, beginnt der große Übergang, sobald der Beobachter wieder in den Vordergrund des Bewusstseins tritt. Ihre Identität ändert sich langsam und subtil, und aus einem Menschen, den der Geist beherrscht, wird ein Beobachter, der alles verfolgt, was geschieht, ohne sich damit zu identifizieren. Der

Beobachter beginnt beim Satsang mit dem Geist zu diskutieren und übernimmt allmählich das Kommando über das Bewusstsein.

Wenn Sie den Übergang geschafft haben, vergisst der Beobachter nie, dass er selbst das Bewusstsein ist. Einerlei, in welchem Strudel von Widerständen Sie sich befinden – alles ist in Ordnung und ein Teil des Spiels, an dem das Bewusstsein sich in dieser Welt der Erscheinungen erfreut. Es ist völlig unnötig, dass der begrenzte Geist das Warum und Weshalb dieser Vorgänge versteht. Erstaunlicherweise bleibt auch der Geist in der Klarheit und Weisheit des Beobachters friedvoll. Wenn Sie einmal wissen, dass Sie der Beobachter sind und nicht der Handelnde, dann leben Sie im Tal-Erlebnis des Übergangs.

Mythos:
Die Erleuchtung ist Glückseligkeit

Die häufigste Erwartung, von der ich in meinen Intensivkursen höre, lautet: Erleuchtung ist Glückseligkeit. Das glauben alle, und keine andere Erwartung ist den Suchenden so teuer. Vielleicht liegt es daran, dass der Wunsch, glücklich zu sein, die stärkste treibende Kraft des Menschen in seinem Dilemma ist. Um die Sache noch komplizierter zu machen, definierten die Verfasser der Upanishaden und Veden die Natur der Quelle als *Satchidananda*, was im Sanskrit „ewige Wirklichkeit (*sat*) in reinem Bewusstsein (*chit*) und in Glückseligkeit (*ananda*)" heißt. Also erwarten wir Glückseligkeit, sobald wir erkennen, wer wir wirklich sind – denn so soll es ja sein, nicht wahr?

Ich bin kein Sanskritgelehrter, aber ich weiß, wie der große Übergang sich anfühlt, und ich habe meine wahre Natur erfahren, wenn auch in begrenztem Umfang. Darum halte ich das Wort Glückseligkeit nicht für eine zutreffende Beschreibung dieses Zustandes, in dem ich weiß und nie mehr vergessen werde, wer ich bin. Ja, ich bin während des Übergangs viele Male glückselig gewesen – aber das sind Gipfelerlebnisse, die kommen und gehen! Hier geht es darum, was Glückseligkeit wirklich ist. Wir müssen also das Tal-Erlebnis untersuchen, das immer da ist und nicht launisch wie der Wind.

Meiner Erfahrung nach macht Glückseligkeit mich fast lebensuntüchtig; sie dauert nie länger als dreißig Minuten und kommt ohne erkennbare Ursache. Dann vergeht sie wieder, und ich frage mich: „Was ist eigentlich passiert?" Glückseligkeit, die kommt und geht, ist bestimmt nicht das Erwachen oder die Erinnerung an unsere wahre Natur. Trotzdem – sie hat etwas mit dem Übergang zu tun. Alle Findenden berichten, dass sie ab und zu glückselig sind. Aber keiner behauptet, er lebe im Zustand permanenter Glückseligkeit. Das hat meines Wissens noch niemand behauptet.

Dennoch ist die Glückseligkeit die begehrteste Prämie der Erleuchtung. Eines Tages werden die Suchenden herausfinden, dass ein tie-

fer Frieden, der nie aufhört, unendlich viel besser ist als eine Glückseligkeit, die kommt und geht.

Die Wirklichkeit:
Die wahre Natur des Übergangs ist Präsenz,
nicht Glückseligkeit

Die dritte Dimension ist ein Produkt des Ichs und wird als
Getrenntsein empfunden. Das reine, schöpferische Bewusstsein in
der vierten Dimension beobachtet sich selbst und die ganze dritte
Dimension, ohne einzugreifen, mit bedingungsloser Liebe und in
friedvoller, stiller Freude. Woher ich das weiß? Ich erlebe es fast immer,
sofern ich nicht mitten in einem Widerstand stecke. Diese beobach-
tende Präsenz ist die wahre Erleuchtung.

Das alles führt uns zu jenem großen Geheimnis, das hinter den
üblichen Vorstellungen von der Erleuchtung verborgen ist: Der Übergang holt den Beobachter aus dem Hintergrund des Bewusstseins
und stellt ihn in den Vordergrund. Und was beobachtet dieser Beobachter? Ich nenne es *die Präsenz*.

Der Übergang ist eine Brücke zwischen der ewigen Einheit und
unserem illusorischen Gefühl der Trennung. Diese Brücke führt in
die Präsenz. Die Präsenz ist das, was wir unserem Wesen nach sind;
aber sie wird ständig vom Geist unterbrochen, der urteilt, abwehrt,
erwartet und sinnliche Wahrnehmungen als Dualität und Polarität
interpretiert. Vor dem Übergang sind wir nie zu Hause – wir sind
immer zum Essen ausgegangen. Dann finden wir die Präsenz! Das
ist nicht sonderlich schwer; denn die Präsenz ist immer da. Wir finden sie im gegenwärtigen Augenblick, in der spontanen Lebendig-
keit des Unbekannten, jenseits der Grenzen unserer Konditionierung und Veranlagung. Nur hier in der Präsenz erfahren wir, was
wirklich ist, und das befreit uns vom falschen Bild des getrennten
Ichs.

Die *Präsenz* und der *Beobachter* sind Synonyme im Vokabular des Übergangs. Der Geist erschafft eine Illusion der Getrenntheit. Dann erfolgt der Übergang, und unsere neue Identität wird nicht mehr von einem Geist beherrscht, der nur urteilen kann. Wir sind wie durch Magie zum Beobachter geworden, also zu dem, was wir wirklich sind, und wir beobachten das, was wirklich ist, ohne Entscheidungen zu treffen. Diesen Akt des Beobachtens – der nie kommt und geht, sondern immer da ist – nenne ist *Präsenz*.

Als Beobachter sind wir nicht passiv. Wir leben in einer leidenschaftlichen, aktiven Akzeptanz dessen, was wirklich ist, und lösen uns von allem, was der Geist diesem herrlichen Hier und Jetzt hinzufügen möchte. Dabei wird uns plötzlich klar, dass wir als Beobachter die einzige Quelle aller Existenz sind.

Die Präsenz ist ein Raum, der so offen ist und die Realität so innig willkommen heißt, dass der Beobachter nie auf die Idee käme, etwas zu ändern oder zu verbessern. Alles ist bereits vollkommen, so wie es ist. Und alles ist genau so, wie es sein soll, trotz der Alternativen, die der Geist uns von seinem unvollkommenen Blickwinkel aus anbietet. Der Beobachter schaut zu, wie der Geist in einem Chaos von Alternativen versinkt, und er versteht, dass eben dies die Aufgabe des Geistes ist. Aber wenn Sie sich nicht mit dem Geist identifizieren, sind Sie von ihm befreit, selbst mitten im Chaos.

Es gibt einen bewussten Beobachter, und es gibt Objekte seiner Beobachtung, zum Beispiel:

- die warme Sonne

- ein vor Angst verkrampfter Magen

- der Duft von heißem Kaffee am Morgen

- heftige Ungeduld in einem Verkehrsstau

Wenn Sie nun sogar auf das Beobachten verzichten, bleibt nur noch die Präsenz übrig. Sie können sich nicht vorstellen, wie köstlich es ist, nur noch zu sein, nichts mehr zu tun, alles zu verstehen und nicht mehr das Bedürfnis zu haben, alles im Leben „richtig" zu machen. Das Leben lebt sich selbst durch Sie, und Sie sind sein Beobachter, der in der Präsenz aufgegangen ist und alles im gegenwärtigen Augenblick beobachtet.

Aber Sie können die Präsenz nicht „machen", weil Sie die Präsenz *sind*. Sie können nichts tun oder üben (wie etwa beim Yoga oder bei der Meditation), was Sie bereits sind. Die Präsenz ist völlig mühelos und Ihnen näher als Ihr Atem. Sie erkennen den Beobachter, und die Präsenz kommt von selbst – das ist alles. Der Geist hat die Aufgabe, diesen Prozess zu deuten; aber die Identität mit dem Beobachter verhindert diesen Fehltritt. Im kosmischen Versteckspiel hat die Quelle sich selbst in der Präsenz gefunden, wenn auch noch in einem begrenzten Körper und Geist.

Die Präsenz überlagert sozusagen die normalen geistigen Funktionen des Urteilens, Herumbesserns oder Werdens. Sie überlagert auch das Gefühl der Trennung, der Identität mit dem kleinen „Ich", das nur in der Vergangenheit oder Zukunft leben kann und keine Ahnung von der Bewusstheit des Jetzt hat.

Wenn der Beobachter die Präsenz erfährt, fühlen wir uns plötzlich auf einer Ebene wohl, in der die Zukunft immer unbekannt ist. Der Geist will „wissen", dass er nie ausgelöscht wird; jetzt sind wir frei von diesem Verlangen. Während der Traum von einer begrenzten Individualität sich allmählich auflöst, spüren wir schon unsere Ewigkeit wachsen.

Die Präsenz ist die Gewissheit, dass wir nicht nur ein Teil des Ganzen sind, sondern die Quelle des Ganzen. Die Präsenz enthüllt die Einheit und unsere wahre Natur. Sie ist das Ende der Verwirrung, die das menschliche Dilemma auslöst. Sie befreit uns von dem Verlangen, zu werden und zu tun. Die Präsenz gibt uns die Gewissheit, dass wir zu Hause sind.

Erleuchtung bedeutet Licht in der Dunkelheit, und die Präsenz ist das, was die Illusionen und Ideen fortpustet, die uns in der Dunkelheit gefangen halten. So einfach ist die Präsenz! Sie sieht das, was ist, so wie es ist.

Womit ist der Beobachter präsent? Mit allem, was geschieht: mit dem köstlichen Duft von Speisen, mit unangenehmer Selbstkritik und mit dem zwiespältigen Gefühl, einfach da zu sein, ohne produktiv zu sein. Die Präsenz lässt ihr Licht auf allem leuchten, was geschieht, und sie weiß, dass alles gut ist. Wir können sie nicht auf einen bestimmten Aspekt unserer Seifenoper lenken, weil dies den Strom der Ereignisse stören würde. Außerdem würde in diesem Fall der Geist steuern, nicht der Beobachter.

Die Präsenz scheint auf das ganze Leben, so wie unsere unendliche innere Weisheit es uns darbietet. Die Präsenz ist kein Werkzeug und keine spirituelle Disziplin. Sie ist allumfassend und trägt ihren Lohn in sich selbst. Die Präsenz ist die totale Entspannung in der aktiven Umarmung des Lebens, so wie es ist und sich uns darstellt. Die Präsenz ist jenseits aller Fragen, Zweifel und Bemühungen. Der Geist wird still, die Atmung gleichmäßig, der Körper entspannt, und das Panorama der dritten Dimension, durch die Augen der Quelle betrachtet, ist wahrhaft schön und kosmisch. Meine Sinne sind lebendiger denn je. Plötzlich kann ich auf eine ganz neue Weise berühren, schmecken, riechen und hören. Jetzt bin ich der Beobachter in der Präsenz, in meiner ursprünglichen Unschuld, die ich endlich wiedergewonnen habe. Jetzt ist das Leben real und leidenschaftlich lebendig, und ich muss nichts mehr daran ändern. Ich aale mich nur darin, während es sich entfaltet. Und gelegentlich spüre ich sogar ein klein wenig Glückseligkeit, damit das Leben interessant bleibt.

Mythos:
Die Erleuchtung ist das Werk eines Guru und der spirituellen Disziplin

Die Idee, nach Erleuchtung streben zu müssen, hält sich seit vielen tausend Jahren. Zunächst war sie auf den Osten beschränkt, vor allem auf Indien und Tibet, aber dann breitete sie sich auch nach China und Japan aus. Von dieser Tradition haben wir bestimmte Vorstellungen über die Rolle des Lehrers und der spirituellen Askese übernommen – sie sollen irgendwie den Schleier des Vergessens lüften.

Diese Theorie enthält mehrere fatale Schwächen. Die Quelle ist hier in der Welt der Erscheinungen und spielt Verstecken; aber sie entdeckt ihre wahre Natur, noch während sie an die Grenzen und an die Dualität des Geistes gebunden ist. Mir ist aufgefallen, dass dieses Spiel – die Quelle enthüllt sich allmählich selbst – im Laufe der Jahrtausende langsam Fortschritte gemacht hat, so langsam wie die fast unmerkliche Bewegung der Sonne vom morgendlichen Horizont zum Mittagspunkt.

Ab und zu besinnt sich die Quelle auf ihr Gesetz vom Kontrast und vom Paradox und weckt einen von hundert Millionen Menschen auf, nur damit die Hoffnung auf die Erleuchtung lebendig bleibt. Dann kommt jemand wie Buddha, der sehnsüchtig den Weg nach Hause sucht, alle spirituellen Methoden seiner Zeit ausprobiert und erwacht – nicht wegen dieser Methoden, sondern ihnen zum Trotz, nachdem er ihre Fruchtlosigkeit erkannt hat. Buddha hatte keinen Guru. Nach einem halben Leben in Freiheit und im Wissen um seine wahre Natur beteiligte er sich an der Niederschrift von 10.000 Geboten und Verboten, Regeln und Anleitungen, die alle zur Erleuchtung führen sollten. Was für ein Paradox! Aber genau das macht der Quelle Spaß.

Im Westen verehren wir Jesus, der ebenfalls ohne Guru erwachte und nicht viel von harscher Disziplin hielt. Nach seinem Tod dachte die katholische Kirche sich so viele Dogmen, kanonische Gesetze, Regeln, Tugenden und Laster aus, dass jeder verrückt werden muss, der daran glaubt, dass die Kirche für Gott spricht.

Worauf ich hinauswill: Ein Erwachter oder Avatar war immer die Ausnahme von der Regel, nie das Produkt eines Guru und seiner Lehre.

Drei Teile der Gleichung sind falsch. Erstens, der Schüler: Der spirituelle Weg verläuft von der Trennung zur Einheit. Eine der Kräfte, die das menschliche Dilemma in der dritten Dimension anheizen, ist der Wunsch, „etwas Besonderes" zu sein. Unser Auto, unsere Familie, unser Guru und sogar unser Hund sollen etwas Besonderes sein. Damit wollen wir die unermessliche Angst lindern, die vom Gefühl der Trennung angefacht wird.

Der Übergang befreit uns vom Verlangen, etwas Besonderes zu sein, und zeigt uns, wie herrlich es ist, zum ersten Mal im Leben ganz gewöhnlich zu sein. Der Mythos von der Notwendigkeit eines Lehrers wird entlarvt; denn wenn wir einen Lehrer oder Guru suchen, der *etwas ganz Besonderes* ist, vertiefen wir die Trennung, anstatt die Einheit zu finden, nach der wir suchen.

Zweitens, der Lehrer oder Guru: Er muss sich ständig mit seinen Anhängern und ihrer Bewunderung auseinandersetzen, und dadurch wird getrübt, was einst als Erwachen begann. Die Anhänger werden zahlreicher, die Verehrung nimmt zu – und der Guru vergisst, was er entdeckt hat: seine Gewöhnlichkeit. Das neue Gesetz der vierten Dimension lautet: „Werde gewöhnlich" und „Niemand ist etwas Besonderes".

Drittens, die Meditation: Dies ist die heiligste aller Kühe, der wichtigste Aspekt aller Erweckungsmethoden. Die Wahrheit ist: Wenn Sie eine Technik wie die Meditation anwenden, müssen Sie „ein Handelnder" werden, der glaubt, es gebe einen Weg und ein Ziel. Das ist meist ein verwirrter, unwissender Mensch, der mit Hilfe einer magischen Methode oder eines Rituals göttlich werden und das menschliche Dilemma überwinden will, einfach indem er den Geist durch Meditation beruhigt. Ist denn der Geist nicht die Ursache allen Leidens? Warum also sollen wir ihn nicht durch Meditation heilen?

Aber der Geist arbeitet völlig normal, wenn er urteilt und jeden Gedanken in Gegensätze spaltet.

Alles spirituelle Tun mündet in einen Zustand der Verzweiflung, weil wir nie erreichen, was wir ersehnen. Alle spirituellen Lehren sind Tun; darum gehören sie ins Reich der Mythen.

Die Wirklichkeit:
Es gibt keine Gurus, Lehrer oder speziellen Techniken, die den Übergang beschleunigen

Mit dieser Behauptung fordere ich heilige spirituelle Überlieferungen heraus, die mindestens 5.000 Jahre alt sind. Aber wenn die Quelle sich selbst erkennen will, müssen wir alle alten Verzerrungen, Halbwahrheiten und Mythen hier und jetzt klarstellen. Keine Geheimnisse mehr! Nicht in der Politik, nicht in der Religion, nicht in unseren Beziehungen – und erst recht nicht, was den Übergang anbelangt!

Wir alle sind gleichermaßen die Quelle. Kein Mensch besitzt mehr Göttlichkeit, mehr Weisheit, mehr von der Essenz der Quelle als andere. Wenn Sie den Übergang noch nicht erlebt haben, dann ist die Zeit dafür eben noch nicht gekommen. Und wenn andere erwacht sind und sich an ihre wahre Natur erinnern, können sie Ihnen vorsätzlich nicht helfen aufzuwachen.

Jeder Mensch im Universum hat einen einzigartigen Satz von Veranlagungen und Konditionierungen. Wenn einer erwacht und sich „Guru" nennt, kann er nur seine eigene, einzigartige Erfahrung schildern. Er kann Ihnen nicht sagen, was Sie tun sollen oder wie Sie den Übergang erfahren werden, abgesehen von wenigen allgemeinen Hinweisen. Die Quelle liebt die Vielfalt und dupliziert keine Erfahrungen – nicht einmal die Erfahrung des Übergangs.

Wenn Sie immer noch einen Guru suchen: Er lebt in Ihnen, er war immer da, und er wird als Beobachter erscheinen, sobald Ihr Übergang beginnt. Sie können ihn nicht herbeirufen, indem Sie ungeduldig um den Fahnenmast Ihrer Sehnsucht tanzen. Der Beobachter tritt in den Vordergrund Ihres Bewusstseins, so wie die reife Mango vom Baum fällt. Denken Sie daran, dass es sinnlos ist, unreife grüne Mangos zu pflücken!

Der einzige Guru, den Sie je brauchen, ist die unendliche Weisheit des *Satguru,* ihrer wahren Natur oder Essenz, die eines Tages auch Ihre neue Identität sein wird.

Während meiner Reisen durch die Welt auf der Satsang-Tour ist mir aufgefallen, dass jene Suchenden, die noch an einem lebenden oder toten Guru hängen und ihn auf ein Podest stellen, nicht wirklich am Übergang interessiert sind. Für alle, die vom Suchenden zum Findenden werden wollen, ist das Haften an einem Guru eine tödliche Gefahr. Ich sehe immer wieder treue Anhänger zu Füßen ihres Meisters oder in dessen altem Ashram. Sie sind irgendwo draußen und schauen hinein. Aber ich weiß auch – ebenfalls aus Erfahrung –, dass sie ihren Guru dankbar und liebevoll verlassen, wenn die Zeit für sie reif ist. Dann gehen sie *allein* in die dunkle Nacht der Seele und von dort in den Übergang. Ich würde mich freuen, wenn es Ausnahmen gäbe; aber ich habe bisher keine gesehen.

Was den Mythos von der spirituellen Disziplin betrifft, so begnüge ich mich mit einem kurzen Hinweis: Sie können *nichts* tun, um Ihren Übergang zu beschleunigen. Es gibt nämlich in der gesamten dritten Dimension nichts, was nicht spirituell wäre. Wenn Sie eine Erscheinungsform der Quelle sind, ist ein Fußballspiel im Fernsehen ebenso „spirituell" wie eine Meditation inmitten von Kerzen und Räucherwerk. *Es gibt nichts zu tun! Es genügt zu sein! Verstehen ist alles!*

Das Verständnis und Ihr Beobachter stellen sich ein, wenn die Zeit reif ist. Wenn Sie ein Suchender sind und sich nach Ihrer Heimat sehnen, dann ist die Zeit gekommen, und der Prozess hat bereits begonnen. Entspannen Sie sich, und warten Sie einfach darauf, dass Sie nicht mehr „handeln" wollen. Diese neue Einstellung wird bald Ihr ganzes Leben bestimmen. Wenn Sie während des Wartens ein wenig spielen möchten, gehen Sie zu Ihren Freunden in die Satsang-Gruppe. Das ist immer eine Aufmunterung. Satsang ist meines Wissens der einzige Tanz, der die Ungeduld des Geistes und die Stärke der Sehnsucht ausgleichen kann.

Mythos:
Die Erleuchtung ist das Ende aller Probleme

Diese Idee kann es, was die Popularität anbelangt, beinahe mit dem Mythos von der nie endenden Glückseligkeit aufnehmen. Mein Kommentar dazu ist immer gleich: Es bringt *keine praktischen Vorteile*, vollkommen erwacht, erleuchtet oder durch den Übergang verwandelt zu sein, solange Sie sich noch in der dritten Dimension befinden. Denn:

- Sie müssen trotzdem fällige Rechnungen bezahlen.
- Sie begegnen dennoch nicht Ihrer Dualseele, falls Sie nach ihr suchen.
- Ihr Auto gibt trotzdem während der Rushhour den Geist auf, und zwar ausgerechnet dort, wo Sie es nicht an den Straßenrand schieben können.
- Sie erkälten sich dennoch zweimal im Jahr.
- Ihre Schwiegermutter geht Ihnen immer noch auf die Nerven.
- Ihre Lieblingsmannschaft wird trotzdem nicht Meister.
- Sie werden vielleicht nie befördert.

Dieser Mythos ist die Kehrseite des Verlangens nach nie endender Glückseligkeit. Wir wollen glücklich sein, und ein sorgenfreies Leben kommt dieser Vorstellung recht nahe. Wenn wir keine ewige Glückseligkeit haben können, dann wollen wir wenigstens die Probleme in diesem Leben lösen.

Aber hat je ein Heiliger oder Erwachter etwas Derartiges versprochen? Ich glaube es nicht. Auch ein Erwachter muss sich wie alle anderen Menschen mit Problemen herumschlagen. Viele Anhänger von Osho und Papaji, die dem inneren Kreis dieser erwachten Meister angehörten, haben in Satsangs berichtet, dass selbst diese Menschen bis an ihr Lebensende mit Widerständen kämpfen mussten. Niemand entkommt dem universellen Gesetz des Ausgleichs zwischen Freiheit und Begrenzung in dieser dritten Dimension. Nicht vor dem Übergang und nicht danach.

Kein Erwachter hat je gesagt, das Leben werde nach dem Erwachen ein Zuckerlecken. Da wir aber glücklich sein wollen, hoffen wir wider besseres Wissen, ein Patentrezept zu finden. Wir fangen früh mit „Sex, Drogen und Rock'n'Roll" an – vielleicht finden wir dort, was wir suchen? Und wenn wir ausgebrannt sind, wenden wir uns der konventionelleren Weisheit zu: Wir heiraten, gründen eine Familie, machen Karriere – und sind am Ende so einsam und leer wie zuvor.

Dann geschieht mit etwa einem Prozent der Bevölkerung etwas Seltsames. Ich nenne diese Menschen „Suchende". Irgendwo macht es klick, und sie denken: Wenn alles andere fehlgeschlagen ist, dann versuche ich eben herauszufinden, was Gott von mir will. Diese Menschen überwinden ihr Verlangen nach Beziehungen, Geld und Ruhm und spüren den brennenden Wunsch, nach Hause zu gehen. Das bedeutet in etwa, mit dem Göttlichen Kontakt aufzunehmen anstatt mit groben irdischen Energien.

Aber wir haben immer noch einen getrennten Suchenden vor uns, der glaubt, er sei der „Handelnde". Darum bemüht er sich immer noch, das Glück zu zwingen. Er probiert jeden spirituellen Lehrer aus, der ihm über den Weg läuft, jede neue oder alte Meditationstechnik, jeden Workshop über Selbsthilfe. Natürlich rennt er auch einmal im Monat in den New-Age-Buchladen und forscht nach brandneuen Ratgebern, die seine Probleme blitzschnell lösen könnten.

Die Wirklichkeit:
Willkommen, dunkle Nacht der Seele!

Der Übergang beseitigt also nicht alle Lebensprobleme, sondern er ist ein Weg durch die dunkle Nacht der Seele. Ich wünschte, ich könnte Ihnen etwas anderes erzählen, etwa dass ich wenigstens *einen*

Suchenden kenne, der auf einem anderen Weg in die vierte Dimension gelangt ist. Aber im freudlosen Chaos dieser Phase liegt eine natürliche Ordnung verborgen.

Suchende haben ihr bisheriges Leben damit verbracht, „Handelnde" zu sein. So soll es auch sein, weil wir ja einen Geist haben, der urteilt, herumbessert, tut und etwas bewirkt. Aber der Geist versucht nicht nur, die ganze dreidimensionale Welt in Ordnung zu bringen, sondern er will auch den Übergang in die vierte Dimension „machen", sobald er davon hört. Unser Beobachter in seiner unendlichen Weisheit lässt den Geist seinen normalen, natürlichen Weg gehen, bis wir eines Tages erkennen, wie fruchtlos und wertlos die Ergebnisse einer lebenslangen Suche sind.

Der Übergang ereignet sich nur, wenn wir still und einsam sind. Aber es ist gegen die Natur des Geistes, still und allein zu sein – darum ist die dunkle Nacht der Seele eine so kluge Einrichtung. Wir sind verzweifelt und fühlen uns verlassen, wir empfinden unsere Beziehungen und unseren Beruf als stumpfsinnig, und vor allem glauben wir, Gott habe sich von uns abgewandt. Das alles zwingt uns irgendwann, still zu werden und dem leisen Flüstern unseres Beobachters zu lauschen. Dann beginnt er die alten Erinnerungen an unsere wahre Natur zu wecken.

Die dunkle Nacht der Seele bietet dem Beobachter offenbar die beste Möglichkeit, unsere volle Aufmerksamkeit zu gewinnen und den geschäftigen Geist zu beruhigen, der so vieles tun und verbessern will. Sobald wir aufwachen und wissen, wer wir sind, gilt es den nächsten Mythos zu überwinden: Unsere täglichen Probleme verschwinden nicht, sondern sie sind Schrot für die Mühle unserer Befreiung von allen restlichen Ideen und Konditionierungen. Wie ich in Kapitel 5 bereits erwähnt habe, wächst Ihre Einsicht in Ihre wahre Natur jedes Mal, wenn der Beobachter eines dieser so genannten Alltagsprobleme betrachtet. Ein innerer Satsang ist die Folge.

Mythos:
Die Erleuchtung lässt sich exakt definieren

Die Autoren spiritueller Bücher versuchen immer wieder, exakt zu definieren, was mit einem Heiligen geschieht. Da sie jedoch nicht viel zu schreiben haben, analysieren sie die Erleuchtung, ähnlich wie die Scholastiker darüber stritten, wie viele Engel auf einer Nadelspitze tanzen können. Die katholische Kirche beschreibt ihre Heiligen in vielen dicken Büchern: Diese Menschen haben schon zu Lebzeiten übernatürliche, wundersame Kräfte und können unter anderem an zwei Orten zugleich sein, in der Luft schweben, durch Wände gehen und Kranke aus der Ferne heilen. Aber das sind nur ihre gewöhnlichen Fähigkeiten. Wahre Zeichen der Heiligkeit sind Stigmata, wie Jesus sie am Kreuz empfing, oder vierzigjähriges Fasten bei nur einer Hostie am Tag.

Wenn wir das Leben der Heiligen näher betrachten, fällt uns allerdings auf, dass sie nicht besonders glücklich waren. Die besonderen Gaben trugen nicht im Geringsten zur Erfüllung im Leben bei. Sie fühlten sich trotzdem von Gott getrennt und hielten sich für unwürdige Sünder, denen Er seine Gunst geschenkt hatte. Die Kirche hat also eine Unmasse von unpraktischen Ideen angehäuft, die uns dem Übergang nicht näher bringen.

Der Buddhismus beschreibt Buddhas Erwachen und definiert die Erlösung als „Leerheit". Für Buddha war das eine sehr tiefe Erfahrung, die niemand in Frage stellen darf. Es wäre jedoch falsch zu behaupten, niemand könne erleuchtet sein, ohne die Leerheit erfahren zu haben.

Seit Ramana Maharshi halten die Anhänger des Advaita Vedanta bei der Beschreibung des Erwachens nach dem genauen Gegenteil der buddhistischen Leerheit Ausschau, nämlich nach der „Fülle". Auch das widerspricht meiner Erfahrung des Übergangs nicht. Ich muss zugeben, dass er sich meist so anfühlt – aber es gibt auch viele Augenblicke, in denen ich mir der Leerheit bewusst bin, die irgendwie Fülle hervorbringt.

Heute versuchen sogar die Vertreter der transpersonalen Psychologie, die Erleuchtung zu analysieren und die Transzendenz durch den Intellekt statt durch Spiritualität zu erreichen.

Dieser spirituelle Zirkus und seine Mysterienschulen imitieren offenbar die klassische Geschichte von den sechs Blinden, die verschiedene Teile eines Elefanten betasten. Ihre Beschreibungen widersprechen sich zwar, aber sie sind dennoch *teilweise* richtig.

Mir gefällt Gurdjieffs Versuch, die Erleuchtung zu erklären. Er sagt, es gebe drei Arten von Menschen in der Welt: Verrückte, Vagabunden und Haushälter. Die Erleuchtung könnten nur letztere erlangen. Die Voraussetzung für die Selbsterkenntnis sei nämlich ein angemessenes Leben in der dritten Dimension, nicht der ständige Kampf ums Überleben. Genau das haben die Haushälter erreicht. Sie sind die soliden Bürger der Welt. Das hört sich vielleicht seltsam an, wenn wir an die Herkunft der meisten Erwachten in der Vergangenheit denken; aber zu meinen Intensivkursen auf der ganzen Welt kommen erstaunlicherweise nur Leute, die man „Haushälter" nennen könnte. Sie sind die eifrig Suchenden des New Age und haben eine typische Entwicklung durchgemacht, wozu Gurus, Reisen nach Indien (inklusive Dysenterie), spirituelle Disziplin und großes Interesse an Ernährung, Körperarbeit und Ökologie gehören. Da ich bisher nur mit solchen Leuten zu tun hatte, bin ich natürlich versucht, die Voraussetzungen für den Übergang in ihrem Kontext zu beschreiben.

Aber mein eigener Übergang hat mir gezeigt, dass jeder Versuch, diese Erfahrung in eine allgemein gültige Schablone zu pressen, vergebliche Mühe ist. Nur der begrenzte Geist versucht so verzweifelt, die unendliche Weite des Übergangs zu verstehen und sie auf ein handliches Format zu reduzieren. Wenn ich aufschreiben müsste, welche Qualitäten meiner Meinung nach unbedingt vorliegen müssen, damit wir während des Übergangs erwachen, würden die spirituellen Autoren des nächsten Jahrhunderts sie als *Nadeens Mythen über die Erleuchtung während des großen Übergangs im 21. Jahrhundert* bezeichnen.

Die Wirklichkeit:
Es gibt keine allgemeingültige Definition
der Erleuchtung

Es gibt nur relative Beschreibungen. Das gilt auch für die Erleuchtung.

Die Quelle hat für die Welt der Erscheinungen einen Spielplan erstellt, damit sie jedes Mal, wenn sie einen begrenzten Geist/Körper-Organismus erschafft, eine völlig einzigartige und einmalige Erfahrung machen kann, die sich von allen anderen vergangenen und künftigen Erfahrungen unterscheidet. Darum hat sie sich für kleine Änderungen der üblichen Routine im neuen Jahrtausend entschieden: Von hundert Menschen wird sich einer als Suchender in der dritten Dimension inkarnieren und von tiefer Sehnsucht erfüllt sein, sich an seine wahre Natur zu erinnern.

Dieses eine Prozent erlebt einen allmählichen Übergang in die vierte Dimension. Dadurch werden seine Wahrnehmungen, nicht aber seine Anlagen verändert. Ist es vorstellbar, dass die Quelle „Klone" zu Erwachten macht? Denken Sie daran, wie sehr die Quelle die Vielfalt liebt.

Den Grund für diesen Übergang kennen wir nicht. Wir wissen nur, dass er sich jetzt ereignet. Ein einheitliches Kraftfeld aus einer neuen Energie beeinflusst Millionen von Suchenden und veranlasst sie, ungefähr gleichzeitig zu erwachen und sich daran zu erinnern, dass alles, was ist, Bewusstsein ist.

Das ist der einzige gemeinsame Nenner, den wir bis jetzt haben. Alle anderen Eigenarten der Findenden hängen von ihren einzigartigen Anlagen und von ihrer Konditionierung ab.

Wir haben es mit einer unendlichen Intelligenz zu tun, die an jedem neuen transformierten Bewusstsein ihre Freude hat, weil jeder Erwachte völlig neue Erfahrungen macht, wenn er den Weg von der Trennung zur Einheit geht. Wir können all diese Erfahrungen nicht in eine hübsche kleine Schachtel stecken und für künftige Generationen als Modell aufheben. Der Übergang ist eine grenzenlose

Erfahrung, während wir noch in einem begrenzten Körper und Geist leben. Er enthält alle Gegensätze, denen es allerdings irgendwie gelingt, in der Mitte zu verschmelzen. Es gibt keinen absoluten Maßstab, mit dem wir einen Menschen messen könnten, der von sich behauptet, er habe den Übergang geschafft. Aber ich merke bei jedem Satsang am völlig unbegründeten verschmitzten Grinsen der Teilnehmer, dass etwas im Gange ist!

Mythos:
Wenn ich erleuchtet bin, kann ich mit meinen Gedanken die Wirklichkeit ändern

O Gott, wie gerne würden wir das tun! Natürlich geht auch dieser Wunsch auf den ursprünglichen Mythos von der Erleuchtung zurück. Warum ist diese Idee für alle Suchenden so reizvoll? Weil der Geist uns ein Leben lang veranlasst hat, ein besseres Leben anzustreben und alles dafür zu tun und zu ändern. Natürlich war unser Leben trotzdem nie gut genug.

Auf einmal hören wir hier und da ein Gerücht: Der Geist kann sich seine eigene Realität schaffen! Jetzt schöpft der Geist endlich wieder Hoffnung. Wenn meine Gedanken meine Einstellungen prägen und meine Einstellungen gutes Karma anziehen, dann brauche ich nur meine Gedanken zu beherrschen, positiv zu denken und klare Ziele zu verfolgen.

Und so beginnt die Herkulesaufgabe der Mantras, Affirmationen, geistigen Bilder, subliminalen Botschaften im Schlaf und unzähligen anderen fixen Ideen, die uns positive, klare Gedanken einflößen sollen.

Affirmationen und geistige Bilder wirken meistens tatsächlich. Leider gibt es jedoch ein nettes kleines Gesetz, wonach die Summe unserer erfüllten Erwartungen genau der Summe unserer Enttäuschungen entspricht. Jetzt wissen Sie, was es Ihnen nützt, wenn Sie in der dritten Dimension versuchen, die Wirklichkeit mit der Kraft Ihrer Gedanken zu vervollkommnen.

Ihr Geist würde eine „vollkommene" Realität ohnehin nicht erkennen. Er hat ja nur die Aufgabe, jeden Gedanken in „gute" und „schlechte" Aspekte zu zerlegen und dann etwas gegen die „schlechten" zu tun. Selbst wenn Sie als erster Mensch in der Geschichte des Universums imstande wären, die Schöpfung nach Ihrem Willen zu beeinflussen, wäre Ihr dreidimensionaler Geist mit dem Ergebnis niemals zufrieden.

Es ist jedoch ganz natürlich, wenn Suchende den großen Preis des Erleuchtungsspiels gewinnen wollen. Er würde ihnen in der vierten Dimension die Macht verleihen, alle ihre Wünsche zu erfüllen. In der dritten Dimension ist das unmöglich.

Die Wirklichkeit:
Die wahre Natur der Akzeptanz

Das Manifestieren in der vierten Dimension wird Ihnen gefallen – mehr, als Sie es sich je erträumt haben. Ja, diese Möglichkeit besteht nach dem Übergang, und sie entspricht dem natürlichen Verlauf der Dinge im Universum. Als Sie noch in der dritten Dimension lebten, glichen Sie einem Fisch, der in einem Bach mit starker Strömung (im Geist) lebte. Instinktiv schwammen Sie gegen den Strom, weil Sie fürchteten, sonst fortgespült zu werden. Also schwammen Sie bis zur Erschöpfung und kämpften gegen die Strömung an. Sie hatten keinen Spaß, weil Sie unaufhörlich Widerstand leisteten. Ihre Programmierung macht Ihnen weis, dass es besser ist, gegen den Strom zu schwimmen, als ihm einfach nachzugeben.

Aber Sie sehnten sich danach, Ihre wahre Heimat im Ozean zu finden, und darum schwammen Sie kräftiger als 99 Prozent der anderen Fische gegen den Strom. Und eines Tages waren Sie derart erschöpft und verzweifelt (in der dunklen Nacht der Seele), dass Sie zum ersten Mal im Leben resignierten.

Und siehe da – es geschah ein Wunder! Kaum hatten Sie aufgehört, sich zu wehren, trieben Sie ohne jede Anstrengung in der Strömung. Sie lieferte Ihnen alles, was Sie bisher durch harte Arbeit erlangen mussten. Sie trug Sie zu unbeschreiblich schönen Inseln unter Wasser, und Sie waren bezaubert, weil Sie so etwas noch nie gesehen hatten. Sie begegneten den herrlichsten, aufregendsten Fischen, die sich dem magischen Strom so wie Sie ergeben hatten. Dann wurde Ihnen klar, dass Sie das alles Ihr Leben lang hätten haben können – wenn Sie *nichts* getan und sich in diesem lebensspendenden Strom entspannt hätten.

Als Sie noch kämpften, sicherten Sie sich nur das nackte Überleben, und selbst das war schwer. Doch als Sie sich der Strömung anvertrauten, durften Sie Fülle in jeder Hinsicht genießen.

Steigen wir eine Minute aus dem Meer und reden über diese *Fülle* des Übergangs. Eines ihrer Gesetze ist die *Synchronizität*. Vielleicht war sie schon vor dem Übergang immer da, und wir haben sie nur nicht bemerkt. Aber jetzt bin ich mir ihrer Gegenwart sehr bewusst und sehe sie ständig am Werk. Darum versuche ich nicht mehr selbst, Fülle zu manifestieren.

Als Sie noch der kleine Fisch waren, verbrachten Sie Ihr ganzes Leben im Kampf gegen das, was ist. Ich muss es wissen, denn ich habe vor dem Übergang genau das getan. Sie verbrauchten Ihre gesamte Energie, um zu urteilen, auszubessern, zu tun und Widerstand zu leisten. Es blieb keine schöpferische Energie für spielerische Aktivitäten übrig. Dann fiel die reife Mango vom Baum, und Sie erlebten den Übergang. Anstatt Ihre Lebenskraft zu vergeuden, akzeptieren Sie jetzt im täglichen Leben alles, was ist, und zwar so, wie es ist. Da Sie nicht mehr damit beschäftigt sind, den Gang des Lebens zu beeinflussen, verfügen Sie plötzlich über viel mehr Energie und können das genießen, was das Leben Ihnen bringt. Die Lebenskraft oder die Strömung ist Ihre unendliche Weisheit, die genau weiß, was Sie tun müssen, damit Ihr Schicksal sich in Vollkommenheit entfaltet.

Zurück zur Fülle. Ich bin immer wieder verblüfft über die perfekte Synchronizität in meinem Leben. Wenn ich nicht wie die Katze um den heißen Brei schleiche, um etwas zu finden, dann kommt es immer auf höchst unerwartete Weise von selbst. So fallen mir Lösungen zu, an die ich nie gedacht hätte. Habe ich jetzt mehr Geld auf der Bank als vor dem Übergang? Nein, aber ich fühle mich so! Und dieses Gefühl der absoluten Fülle, um die ich mich nicht bewusst kümmern muss, ist immer da. Ich entspanne mich einfach in dem, was ist. Dann kümmern sich die Fülle und das Gesetz der Synchronizität um das Übrige.

Welche Methode des Manifestierens halten Sie für wirksamer und natürlicher?

Mythos:
Die persönliche Identität geht verloren

Seit Jahrtausenden geistert die Vorstellung durch die Gemüter, bei jeder Art von Transformation oder Selbstverwirklichung gehe die persönliche Identität verloren – denn die Ursache der Trennung ist ja der urteilende, handelnde Geist, der alles in „mein" und „dein" aufspaltet. Der Geist ist auch die Ursache des Leidens; denn Leiden kann nur entstehen, wenn der Geist beschließt, dass etwas nicht so ist, wie es „sein sollte", und sich gegen das, was ist, wehrt.

Wäre es dann nicht sinnvoll, wenn wir auf unsere Wunschliste schreiben würden, der Geist möge sich doch auflösen und durch kosmisches Bewusstsein ersetzt werden, das nicht mehr auf diesen eitlen kleinen Geist angewiesen ist, weil es ihn transzendiert?

Ja, das klingt gut – aber es löst Erwartungen und daher Enttäuschungen aus, wenn Sie daraus ein Prinzip machen!

Was geschieht beim Übergang wirklich? Der Beobachter erscheint, der immer da war, aber am Rande des Bewusstseins wartete. Die Quelle nutzte ihre unendliche Intelligenz und liebevolle Energie, um den Geist zu entwerfen, damit er genauso wie geplant arbeitet. Sie zerstört keine normale Funktion des Geistes, weder seinen Hang zum Urteilen noch sein restliches Identitätsgefühl.

Allerdings verlagert sich unser Bewusstsein durch den Übergang allmählich und subtil vom plappernden kleinen Geist, der bisher jeden Aspekt des Lebens beherrscht hat, zum Beobachter, der gelassen und ohne einzugreifen alles beobachtet, was der Geist und die dreidimensionale Wirklichkeit ihm präsentiert.

Jetzt wissen wir, wer wir sind, und unsere Identität befindet sich mitten im begrenzten Input und Output des Geistes. Unser Gefühl der Präsenz ist vielleicht nicht völlig frei; aber sie kann dennoch inmitten aller Gedanken und Urteile und mitten in unserer begrenzten Identität ungehindert existieren. Wenn jemand Sie beim Namen ruft, antworten Sie. Wenn man Sie fragt, was Sie vom neuesten Film halten, sagen Sie Ihre Meinung. Sie schauen in den Spiegel und erkennen, dass der zunehmende Hüftumfang *Ihr* Hüftumfang ist.

Es ist also immer jemand da, der das Schiff steuert! Sie sind kein zufälliger Besucher, der sich mit dem alten Ich und dem alten Körper nicht mehr identifizieren kann.

Genau so soll es sein. Die Quelle ist hier in der dritten Dimension, weil sie sich selbst erfahren will, auch ihre Schattenseite und alle menschlichen Gefühle und Instinkte. Wenn Ihre Mutter oder Ihr Hund stirbt, weinen Sie. Wenn Sie hungrig sind, essen Sie. Wenn Sie Ihren Partner oder Ihr Geld verlieren, sind Sie niedergeschlagen. Aber nicht lange!

Etwas Entscheidendes hat sich geändert. Wenn Sie nach dem Übergang in eine neue Krise geraten – und das wird mit Sicherheit vorkommen –, dann hat diese Situation nicht mehr ihre frühere Macht über den Geist. Sie erkranken nicht an einer klinischen Depression wie früher, als Ihre Identität sich noch nicht zum Beobachter hin verlagert hatte.

Mythos:
Lieblingsreizthemen

Bei jedem Intensivkurs reden wir irgendwann auch über unsere Lieblingsreizthemen. Wenn wir lernen wollen, auf das große „Nein" der Alltagsprobleme mit „Ja" zu antworten, ist es nützlich zu wissen, was uns ein sofortiges „Nein" oder gar ein „Nein, zum Teufel!" entlockt. Typische Ärgernisse dieser Art sind zum Beispiel:

- langsame Autofahrer auf der Überholspur, die nicht auf die rechte Spur wechseln

- unbeholfene und behäbige Kunden mit vollen Einkaufswagen in einer langen Schlange vor der Supermarktkasse

- eine Telefon-Hotline, die immer nur „Bitte warten!" leiert

Interessant ist, dass die Liste der Reizthemen bei jenen Teilnehmern, die den Übergang geschafft haben, den größten Umfang hat. Die Suchenden, die mit dem Übergang noch nicht vertraut sind, wundern sich darüber sehr. Die Findenden erklären zwar, dass ihre liebsten Ärgernisse mit der Zeit fast immer von der Liste verschwinden, weil sie jetzt bewusster damit umgehen. Aber die Lücken werden ständig von einer schier unendlichen Zahl neuer Reizthemen gefüllt. Der Geist kramt nämlich aus seinem großen Reservoir die alten Vorstellungen über das Leben, wie es sein sollte, hervor.

Das ist schwer zu verstehen. Früher haben wir auf eines dieser Ärgernisse unbewusst und automatisch mit einem „Nein!" reagiert. Jetzt, nach dem Übergang, erkennt der Beobachter das auftauchende Problem sofort: „Aha, da braut sich Wut zusammen – na und?" Aus dem „Nein" des Widerstandes wird also ein „Ja" der Akzeptanz dessen, was ist. Wir entspannen uns schon, wenn wir das Ärgernis sehen, und wehren uns nicht dagegen. Das ist der innerste Kern und das Wunder des Übergangs. Es ist der Schlüssel zur Befreiung von

Ideen und Konditionierungen; denn nun wissen wir, wer wir sind, obwohl wir noch in einem begrenzten Geist und Körper leben.

Jene Teilnehmer, die sich immer noch darüber wundern, dass Menschen auch nach dem Übergang eine Liste mit Reizthemen zusammenstellen können, frage ich, ob Jesus ihrer Meinung nach der größte Avatar unter allen erwachten Meistern gewesen sei. Natürlich nicken sie. Dann zähle ich ihnen die Top Ten auf seiner Liste der Reizthemen auf. Hier sind nur ein paar Beispiele:

- Es regt mich auf, wenn die Geldwechsler im Tempel die Armen übers Ohr hauen.

- Ich hasse es, wenn Satan mich auf dem Berg in Versuchung führt. Ich werde damit drohen, ihn hinunterzuwerfen.

- Es deprimiert mich, dass selbst meine Jünger mich verlassen, wenn ich sie am meisten brauche, etwa im Garten Gethsemane.

- Noch schlimmer ist es, dass mein Vater mich im Stich lässt, während ich am Kreuz sterbe.

Mythos:
Sex nach dem Übergang

Klar, der Übergang muss auch die Sexualität verändern. Wahrscheinlich denken Sie nun, dass Sex durch himmlische Konzerte für Harfen und Flöten ersetzt wird oder wenigstens durch etwas, was höhere Schwingungen hat. Noch ein Irrtum, der entlarvt werden muss!

Ich stellte bei mir das genaue Gegenteil fest, und ich bin keine Ausnahme. Vor dem Übergang war Sex nur eines von vielen Mitteln, mit denen ich die innere Leere füllen wollte, die der falsche Glaube an ein getrenntes Ich hervorrief. Dafür brauchte ich eine starke Arznei, und Sex war eine davon.

Natürlich erhoffte ich mir vom Sex und den anderen Arzneien eine Art Erfüllung und wurde immer enttäuscht, da Gipfelerlebnisse ja von kurzer Dauer sind. Deshalb hatte ich mit 53 Jahren das Interesse am Sex fast verloren.

Dann kam mein Übergang. Neue Energie aus einer anderen Dimension strömte durch meinen Körper. Vorher hatte ich meine ganze Energie damit vergeudet, mich gegen das Leben zu wehren; nun stand mir plötzlich die gesamte Energie zur Verfügung, und ich konnte das Leben so genießen, wie es ist.

Das letzte, was ich heute brauche, ist Sex als „Erfüllung". Meine Freude und meine Freiheit entspringen dem Wissen um meine wahre Natur. Die höhere Energie versetzt mich zu jeder Stunde des Tages in friedvolles Entzücken, und ich beobachte einfach das Leben, ohne es beeinflussen zu müssen.

Seltsamerweise hat diese unglaubliche zusätzliche Energie meinen anscheinend schlummernden Geschlechtstrieb wieder geweckt. Aber jetzt brauche ich den Sex nicht mehr, um das Leben zu ertragen, und ich bin auch nicht mehr davon besessen. Sex ist für mich und meine Partnerin nur eine von vielen Möglichkeiten, Lebensfreude auszudrücken. Und wenn sie mal nicht in Stimmung ist, sage ich mir: „Schade – aber es ist eben so." Keine Enttäuschung, kein Verlustgefühl. Und wenn sie Lust hat, tanzen wir gemeinsam „Ja" zum Leben, so wie es ist.

Wenn ich mich umsehe, entdecke ich viel sexuelle Unterdrückung in den überholten alten Weisheiten rund um die Erleuchtung. Und ich sehe Gurus der alten Art, die Enthaltsamkeit zur Vorbereitung auf eine ungewisse Selbstverwirklichung predigen. Genau das Gleiche haben ihre Lehrer und deren Lehrer verkündet. Und irgendwann, nach dem Erwachen und nach vielen Jahren des Lehrens, bricht die Fassade zusammen, und dabei spielen oft junge Anhängerinnen eine Rolle, für die der Meister etwas ganz Besonderes ist.

Heißt das, dass diese Gurus gar nicht erleuchtet sind? Nicht unbedingt. Wir haben es hier nämlich mit Mutter Natur persönlich zu tun, nicht mit der Erleuchtung. Wir können die Natur nicht zum Narren halten. Wenn wir so töricht sind, unsere sexuelle Energie zu unterdrücken, um schneller erleuchtet zu werden, greift Mutter Natur ein, und der unterdrückte Trieb meldet sich umso heftiger zurück, einerlei ob wir erleuchtet sind oder nicht.

Was geschieht nun mit dem armen alten Guru? Man rümpft über ihn die Nase oder wirft ihn sogar aus seinem Ashram hinaus, weil er gegen seine eigenen Regeln verstoßen hat. Dann mustert sein innerer Beobachter das Chaos und sagt: „Aha, mein Geschlechtstrieb ist explodiert, und man hat mich auf frischer Tat ertappt. Na und? Es ist eben so!"

Der Beobachter ist immer da und verfolgt amüsiert die göttliche Komödie und das Chaos der dritten Dimension. Niemand kann dem Chaos im Leben entkommen – aber es wird immer durch Freiheit aufgewogen.

Mythos:
Der anerkannte Heilige

Wenn Sie das höchste Ziel jedes Suchenden erreicht haben, ist es durchaus möglich, dass Ihre Frau und Ihre Kinder es nicht merken. Das kann ein echter Schock für alle sein, die den Übergang geschafft haben und absolute, permanente Selbstverwirklichung genießen, die jeden Aspekt des Lebens beeinflusst.

Da wir unserer Veranlagung nach etwas „Besonderes" sein wollen, glauben wir, die Leute würden Schlange stehen, um uns die Füße zu küssen, sobald wir erleuchtet sind. Und nun behauptet Nadeen, dass die anderen vielleicht gar nichts merken! Aber es kommt noch schlimmer. Es kann sogar sein, dass *Sie selbst* nichts davon merken, wenn Sie die Realität des Übergangs nicht erkannt haben und noch an alten Vorstellungen von der Erleuchtung haften.

Sie wandern ganz langsam aus dem Tal der Dunkelheit ins Licht des Wissens. Gott schickt Ihnen keine E-Mail, die ankündigt, dass Ihr Übergang am 13. Februar 2002 durchgeführt wird. Tausende von Findenden haben bei meinen Intensivkursen bestätigt, dass sie erst zwei bis vier Jahre nach dem Beginn der dunklen Nacht der Seele allmählich erkannten, dass ihr Übergang vollendet, also ein Dauerzustand war. Mitten in der Glückseligkeit kamen sie nicht auf diesen Gedanken. Es hört sich eher so an: „Mann, jetzt ist mein Beobachter seit sechs Monaten bei jedem Problem anwesend. Diese Bewusstheit dringt sogar schon in meine Träume ein. Eigentlich fühle ich mich jetzt immer *daheim.*"

Wenn wir im Laufe eines Intensivkurses alle unsere fixen Ideen analysieren und die Zwiebelschalen der Konditionierung abschälen, wird uns klar, wie weit manche Suchende im Prozess des Übergangs bereits fortgeschritten sind. Bei manchen kommt die Erkenntnis blitzartig, wenn sie *Von der Zwiebel zur Perle* lesen. Aber den meisten dämmert es während eines Satsang: „Toll! Ich dachte, ich befände mich in einer Midlife-Crisis – und in Wirklichkeit bin ich mitten im Übergang!"

Weib und Kind wollen Sie nach Ihrem Übergang also nicht sofort „Meister" nennen. Denken Sie daran: Alle Ihre einzigartigen Veranlagungen und Konditionierungen, die vor dem Übergang vorhanden waren, sind nach dem Übergang immer noch da. Darum gilt der Prophet in seinem eigenen Haushalt nicht viel. Eines ändert sich allerdings drastisch, nämlich die Art und Weise, wie Sie die Seifenoper wahrnehmen, in der wir leben und die den Titel trägt: „Das Leben in der dritten Dimension". Doch das ist eine Erkenntnis Ihrer inneren Weisheit. Der Beobachter ändert nichts in der realen Welt der Illusionen, sondern schaut ihr nur zu und kommentiert sie. Die drei folgenden Situationen lösen zum Beispiel typische Kommentare meines Beobachters aus:

1. Ein Naturereignis spielt sich ab – vielleicht durchnässt mich ein Gewitterregen. Der Beobachter sagt: „Das ist eben so."

2. Jemand bringt mich in Schwierigkeiten. Der Beobachter sagt: „Na und?"

3. Unzählige Male am Tag fragt der Geist (oder ein anderer Mensch) „Warum?" – so wie es die Aufgabe des Geistes ist. Der Beobachter antwortet immer: „Weiß ich nicht, ist mir auch egal."

Das ist alles. Das ist die langsame und allmähliche Transformation des Übergangs. Sie ist so subtil, dass Ihre Familie und Ihre Kollegen Ihnen nie den „gebührenden Respekt" entgegenbringen, den Sie nach Ansicht des Geistes verdient haben. Na und?

Mythos:
Die Sehnsucht nach Gott

Vor dem Übergang sah ich vor dem geistigen Auge Heilige und andere Erwachte, die vor Liebe zu Gott oder zur göttlichen Mutter glühten. Ich hatte so viele Geschichten dieser Art gehört (sie werden ja seit Jahrtausenden erzählt), dass ich glaubte, ein wahrer Heiliger sei nicht mehr imstande, seinem Beruf nachzugehen und eine Familie zu ernähren.

Von der Sehnsucht nach Gott vor und nach der Erleuchtung wird stets viel Aufhebens gemacht. Ich bestreite nicht, dass die Sehnsucht vor dem Übergang sehr stark sein kann. Dank dieser Sehnsucht sind wir ja zu Suchenden geworden, und nur sie bringt uns instinktiv nach Hause. So wie der große Übergang heutzutage abläuft, brauchen wir gar nichts anderes, um nach Hause zurückzukehren. Darum versuchen manche Leute sogar, dieses Heimweh zu verstärken, um den Übergang zu beschleunigen. Das klappt natürlich nicht.

Denken Sie daran, dass wir unserer Natur nach immer etwas „tun", immer etwas verbessern wollen. Aber die Quelle lässt sich nicht vom begrenzten Geist beeinflussen, und darum können wir die Sehnsucht nach Gott nicht intensivieren oder beseitigen. Das Schicksal entscheidet, wann es soweit ist. Punkt!

Der Mythos, von dem ich hier rede, betrifft nicht die Stärke der Sehnsucht *vor* dem Übergang – sie nimmt durchaus zu. Es geht mir vielmehr darum, was *nach* dem Übergang geschieht.

Die Wirklichkeit:
Mein Zuhause ist in mir

Ich studiere den Übergang jetzt seit acht Jahren und habe über den Mythos von der Erleuchtung so viele Informationen gesammelt, dass ich alles umformulieren könnte, was wir je darüber gehört haben.

Was aus unserer Sehnsucht nach Gott wird, ist vielleicht die größte Überraschung im Zusammenhang mit all den Märchen rund um die Erleuchtung.

Irgendwann haben Sie auf dem Weg von der dritten in die vierte Dimension die halbe Strecke zurückgelegt. Sie können eine Linie in den Sand zeichnen und sagen: Wenn ich diese Linie überquere, bin ich schon halb zu Hause. Sie überqueren die Linie, sobald Ihnen klar wird, dass Sie nach dem Erwachen oder nach der Erleuchtung kein Interesse mehr daran haben werden, die Gedanken Gottes zu kennen. Aber genau danach haben Sie sich ein Leben lang gesehnt, so wie ein Ertrinkender sich nach Luft sehnt!

Diese Erkenntnis kommt im Gegensatz zum allmählichen Übergang urplötzlich und unmissverständlich. Das erleben die Teilnehmer an meinen Intensivkursen immer wieder, und dabei ist ein gemeinsames Muster erkennbar.

Nach Jahren des Sehnens und Suchens, der Teilnahme an Selbsthilfeseminaren und der Lektüre Tausender von Büchern gelangt der verzweifelte und hoffnungslose Suchende in die dunkle Nacht der Seele. Jetzt ist er gezwungen, still zu sein und dem leisen Flüstern des Beobachters zu lauschen, der in ihm allmählich die Erinnerung an seine wahre Natur weckt, die tief in der unbewussten, aber allwissenden Intuition verborgen ist.

Sobald wir begonnen haben, uns daran zu erinnern, dass alles Bewusstsein ist und dass auch wir Bewusstsein sind, lautet eine der ersten Botschaften, die der Beobachter übermittelt: „Ich bin nicht der Handelnde, wie ich es bisher geglaubt habe." Dann befreit uns die tiefe, unendliche innere Weisheit fast sofort von der Suche nach Gott. Wir haben ihn ja gefunden – denn *wir* sind der Gott, nach dem wir immer gesucht haben!

Diese Erkenntnis genügt, um die Sehnsucht nach der Heimat unverzüglich und für immer zu stillen. Bisher haben wir eben nicht gewusst, dass wir bereits zu Hause *sind*. Diese verblüffende Einsicht vergessen die Suchenden, die jetzt Findende geworden sind, nie wieder – im Gegensatz zum Tag und zur Stunde ihres permanenten Übergangs.

Es ist, als habe die kosmische Pipeline des Verlangens den Hahn zugedreht. Von nun an transformiert die Erkenntnis „Ich bin Bewusstsein" allmählich Ihr Leben in der Phase, die ich Erlösung nenne. Sie haben soeben Ihren Weckruf gehört und sind auf halbem Weg nach Hause!

Warum sage ich, wir hätten die Hälfte des Weges hinter uns, wenn die Sehnsucht nach Gott plötzlich erlischt? Weil wir das, wonach wir draußen immer gesucht haben, nun in uns selbst gefunden haben. Trotzdem hegen wir noch unsere alten Vorstellungen davon, was das alles für das tägliche Leben bedeutet, solange wir mit einem Fuß in der dritten Dimension stehen und mit dem anderen in der vierten.

Wir müssen noch ein paar Jahre lang zwischen den beiden Dimensionen hin und her hüpfen. Die Erlösung schält die Schichten der Konditionierung so lange ab, bis wir verstanden haben, wie die Quelle in diesem begrenzten Körper lebt: als bewusster, neutraler Beobachter, nicht mehr als „Handelnder", der manipuliert, herumbessert und sich dem Leben widersetzt.

Sobald Sie sich daran erinnern, wer Sie sind, erlischt die tiefe Sehnsucht, die Sie auf den spirituellen Weg geführt hat. Diese Erkenntnis verdanke ich Tausenden von Teilnehmern an meinen Satsangs.

Vielleicht hört sich das jetzt noch seltsam an; doch sobald die Sehnsucht nach Gott erloschen ist, verschwindet auch die Hingabe an Gott. Gott ist nicht mehr da draußen! Jetzt ist nur noch die innere Präsenz wichtig. Zu wem sollen Sie noch beten, und worum sollen Sie bitten? Alles steht Ihnen zur Verfügung, weil Sie die Quelle all dessen sind, was existiert. So wie ich die Präsenz erfahre, käme es mir jetzt lächerlich vor zu beten: „Gib mir dies oder das" oder: „Bring das in Ordnung".

Ich weiß, dass selbst Maharaj Nisargadatta und Papaji, die berühmten erwachten Meister, täglich ihre Pujas verrichteten, auch nach dem Erwachen. Aber sie sind in einer Kultur aufgewachsen, in der Gebete und Rituale zum täglichen Brot gehören, und sie haben sie fortgesetzt, weil der Ventilator sich weiterdrehte, nachdem der Stecker herausgezogen war. Als Amerikaner verzichte ich auf solche Rituale. Welchen Sinn sollten sie für mich haben?

Da ich mich völlig frei fühle und weiß, wer ich bin, kommt es mir gar nicht in den Sinn, spirituelle Übungen zu machen. Ich habe es auf dem Weg nach Hause oft genug getan. Aber jetzt bin ich zu Hause!

Selbst wenn ich still und allein sitze und anscheinend meditiere, tue ich das zum Spaß und nicht als spirituelles Training oder Andachtsübung. Ich genieße es eben, allein und still zu sein und die Fülle der Präsenz zu spüren. Manchmal gehe ich in einen berühmten Tempel oder in eine Kathedrale, um die Architektur zu bewundern oder die Schwingungen der Gläubigen in mich aufzunehmen. Aber das hat nichts mit Gottesdienst zu tun. Ich weiß jetzt, wo Gott ist, und ich trage einen Tempel bei mir.

Noch ein wichtiger Punkt: Wenn die Sehnsucht nach Gott erloschen ist und Sie verstanden haben, dass Gott Sie nicht mehr als seinen kleinen Helfer braucht, verschwindet nicht das Mitgefühl für leidende Wesen. Im Gegenteil, jetzt empfinden Sie zum ersten Mal im Leben echtes Mitgefühl.

Als der Suchende noch isoliert lebte, spürt er angesichts des Leidens nur Mitleid. Nach dem Übergang gilt die Einsicht „Ich bin Bewusstsein" für alle Lebensbereiche. Das gilt auch für alle, die mich in der dreidimensionalen Welt spiegeln. Wenn ich also jemanden leiden sehe, dann ist auch das ein Aspekt meines Selbst, den ich beobachte.

Der große Unterschied zwischen Mitleid und Mitgefühl besteht darin, dass ich jetzt die Vollkommenheit in allem, was ist, sehe. Wenn die Quelle diesen Geist/Körper-Organismus als Instrument der „Hingabe" benutzen will, um jemandem zu helfen, dann bittet sie mich ganz einfach: „Hilf mir!" Dann zögere ich nie, und ich weiß auch, ob die Quelle mich meint oder nicht.

Bei meinem Tanz durchs Leben mit einem Fuß in jeder Dimension haben sich zwei wichtige Leitlinien herausgeschält:

• Ich bitte um nichts.

• Ich lehne nichts ab.

Wenn ich etwas haben soll, dann erscheint es immer zur rechten Zeit und ohne, dass ich darum bitte. Ich nenne dieses Phänomen *Gesetz der Synchronizität und der Fülle.*

Es gibt aber auch eine Kehrseite der Medaille. Wenn ich die Mittel habe zu helfen, kann ich mich nicht weigern. Ich weiß, dass die Quelle selbst mich dazu auffordert. Der Leiter unserer Satsang-Tour hat mir die Entscheidung über den Terminplan aus der Hand genommen, weil ich eine vernünftige Bitte um einen Intensivkurs irgendwo auf der Welt einfach nicht abschlagen kann.

Manchmal fällt es mir sehr schwer, meine beiden Leitlinien einzuhalten. Neulich leitete ich in Manhattan zwei Wochen lang Satsangs. Ich fuhr im Bus und mit der U-Bahn durch die Stadt und begegnete in jedem Straßenblock Dutzenden von Bettlern. Nicht einmal die Chase Manhattan Bank, geschweige denn Satyam Nadeen, hat genug Geld, um jedem etwas zu geben, der die Hand ausstreckt. Also beschloss ich, jedem etwas zu geben, der mir in die Augen sah und mich ausdrücklich um Hilfe bat. Aber die meisten Bettler hielten nur einen Becher in der Hand und starrten ins Leere. So kam ich um den Block, ohne selbst zum Bettler zu werden.

Ich weiß nicht genau, was einige Philosophen im vorigen Jahrhundert mit ihrer Behauptung „Gott ist tot" meinten. Aber ich weiß, dass jede Sehnsucht nach Gott mit Sicherheit stirbt, sobald Sie nach dem Übergang auf der anderen Seite erwachen. Dann haben Sie das Gefühl, in einem Meer der Erleichterung zu baden und Ihre ursprüngliche Unschuld wiedergefunden zu haben. Es gibt keinen Gott mehr, nur noch die Präsenz.

Mythos:
Das ist zu einfach und leicht,
um wahr zu sein!

Jetzt sind wir bei der Mutter aller Mythen angelangt. Ich kämpfe bei jedem Satsang und bei jedem Intensivkurs mit ihr. Viele Teilnehmer haben den Übergang noch nicht in seiner ganzen Fülle erfahren; sie stecken noch bis zum Hals in alten Vorstellungen von der Erleuchtung und oft auch noch in der dunklen Nacht der Seele. Darum kommt ihnen der Übergang zu einfach und zu leicht vor. Sie glauben, er müsse schwieriger sein als das, was sie von jenen hören, die bereits den halben Weg hinter sich haben.

Aber ihr Instinkt sagt ihnen, dass alles, was andere Teilnehmer berichten, die Wahrheit ist. Es handelt sich nämlich nicht um neue Worte, selbst wenn sie nie zuvor gesprochen wurden. Diese Worte erreichen eine tiefe zelluläre Ebene, die ich *das alte Gedächtnis* nenne. Die innere Weisheit dieser Menschen und alle ihre Instinkte vibrieren vor Erregung. Sie stehen dicht davor, die Kluft zu überbrücken, die sie als Suchende von den Findenden auf der anderen Seite, der Seite der berauschenden Einheit, trennt.

Ja, aber ... ein letzter Einwand des Geistes! Die Leute stehen an der Schwelle zum Übergang und haben das ganze Wochenende lang zustimmend genickt. In einer Viertelstunde ist der Kurs zu Ende. Da kreischt der Geist, der seine lebenslange Vorherrschaft bedroht sieht, weil seine Identität vom Beobachter aufgesogen wird, in höchster Verzweiflung: „Moment mal! Das ist zu einfach und leicht, um wahr zu sein!"

Wie sieht das Denkmuster jener Suchenden aus, die sich noch in der dunklen Nacht der Seele befinden?

1. *Sie halten „die anderen" für privilegiert.* Nur die anderen – vielleicht die wenigen, die Gott auserwählt hat – erleben den Übergang. Ich gehöre nicht dazu!

2. *Sie hoffen auf die Zukunft.* Vielleicht werde ich den Übergang eines Tages erleben – aber jetzt nicht!

3. *Sie wollen etwas „tun".* Es muss doch möglich sein, den Übergang durch bewusste Anstrengung und spirituelle Disziplin zu beschleunigen! Seit vielen Jahren praktiziere ich Yoga und Meditation – und jetzt soll ich gar nichts *tun*, sondern nur *sein*? Ich brauche nur zu verstehen, und die reife Mango fällt vom Baum, wenn sie soweit ist? Das kann doch nicht stimmen!

4. *Sie haften an der Tradition.* Was für ein „Übergang" soll das sein? Ich finde nichts darüber in meiner esoterischen Buchhandlung. Außerdem habe ich schon hundert Bücher gelesen, in denen genau beschrieben wird, was in den letzten 5.000 Jahren über die Erleuchtung gesagt wurde!

   Es gibt tatsächlich viele Bücher über die Erleuchtung; aber sie wurden alle vor dem Beginn des Übergangs geschrieben und sind daher voll von Wunschvorstellungen und bewusster Irreführung – erdacht von der Quelle, um die Suchenden bei Laune zu halten, bis die Zeit für den Übergang reif ist. *Jetzt ist die Zeit reif,* und alle Suchenden erlangen ohne Anstrengung und spirituelle Disziplin das vierdimensionale Bewusstsein – nicht *wegen* ihrer Traditionen und Übungen, sondern *trotz* ihnen.

5. *Sie lieben Bilder.* Das hört sich vielleicht seltsam an; aber Suchende machen sich ein genaues Bild von ihrem Aussehen als „Heilige" und von einem „Heiligen", der den Übergang verkündet. Aber niemand entspricht diesem geistigen Bild. Auch ich werde der gängigen Vorstellung vom „Heiligen" nicht gerecht. Ich habe kein langes Haar, keinen Bart und kein fließendes weißes Gewand wie Jesus und andere „Lehrer", die aus diesem Bild ihren Nutzen ziehen. Nein, ich habe eine Glatze, trage warme Kleider und war im Gefängnis, weil ich Ecstasy hergestellt und verkauft habe. Das passt nicht gut ins „Bild". Aber es wird noch lustiger ...

6. *Sie legen Wert auf die Überlieferungslinie.* Das ist kein Witz! Es gibt Suchende und so genannte Lehrer, die nicht hören wollen, was ich

zu sagen habe, sondern zuerst fragen: „Wer war dein Guru, und wer war dessen Guru usw. usf.?" Selbstverständlich sollte mein Guru berühmt sein und eine Menge *Siddhis* (übernatürliche Kräfte) haben. Noch besser wäre es, wenn er diese Kräfte an mich weitergegeben hätte. Leider muss ich zugeben, dass ich den Übergang ohne Guru geschafft habe – im Bundesgefängnis von Los Angeles und mitten unter gefährlichen Kriminellen, die sich sogar im Knast erbittert bekämpften. Schlimmer noch: Ich hatte von diesem Übergang keine Ahnung und beschäftigte mich erst damit, als er vorbei war. Und die einzige wundersame Gabe, auf die ich im Satsang verweisen kann, ist meine Fähigkeit, trotz aller Probleme des Alltags tiefen Frieden zu bewahren und auf das Urteilen und Tun zu verzichten, das mein Geist mir als Lösung vorschlägt.

Hier, im Todeskampf des Geistes, wird die wahre Magie des Satsang sichtbar. Der Geist des Suchenden bemüht sich verzweifelt, die Natur des Übergangs zu verstehen. Aber beim Satsang kommt das Wissen des Beobachters zum Vorschein und beschwichtigt den hektischen, begrenzten Geist, der eine neue Dimension des Bewusstseins begreifen will. Alle bis dahin während des Intensivkurses geäußerten Einwände kommen langsam zur Ruhe und weichen einem sanften Verständnis, das über das Begriffsvermögen des Geistes weit hinausgeht.

Der Beobachter erscheint während des Übergangs, und dieser Beobachter sind Sie. Der Geist wurde geschaffen, um einen Kontrast zu den Gefühlen zu bilden, und diesen Zweck erfüllt er gut. Nun aber verlagert sich Ihre wahre Identität vom Geist zum Beobachter.

Der Geist kann den Übergang nicht logisch erklären. Beim Satsang lösen sich alle „verrückten" Ideen auf, und Ihre neue Einstellung lautet: „Weiß ich nicht, ist mir auch egal."

Suchende, die zu Findenden wurden, machen mir am Ende der Intensivkurse immer wieder ein nettes Kompliment: „Vielen Dank dafür, dass Sie so normal sind!" Das mag wie ein zweifelhaftes Kompliment klingen; aber es wischt die größte aller Mythen vom Tisch.

Das Besondere ist out, das Gewöhnliche ist in! Sie würden niemandem dafür danken, dass er so normal ist – es sei denn, Ihr Beobachter hat Sie in das belebende Wasser Ihrer ursprünglichen Unschuld getaucht, so dass Sie sich zum ersten Mal im Leben wie ein ganz gewöhnlicher Mensch fühlen dürfen.

Ende der Mythen. Jetzt beginnt die Realität: das Leben in der vierten Dimension.

Kapitel 10

So, wie es ist

Ich schreibe dieses Kapitel in meinem Zentrum auf einem Berggipfel von Costa Rica. Wir haben soeben einen wunderschönen siebentägigen Satsang-Intensivkurs beendet, und der letzte Teilnehmer reist heute ab. Der Titel dieses Kapitels war das Hauptthema der ganzen Woche. Das Energiefeld des Übergangs hat unser sogenanntes spirituelles Leben vollständig entmystifiziert und stark vereinfacht. Die ganze Gruppe scheint es begriffen zu haben, und wir verbrauchten eine Menge Papiertaschentücher, als jeder Einzelne beschrieb, wie der Übergang sein Leben verändert hat. Was könnte einfacher sein als das:

- Anstatt überall nach Gott zu suchen, wissen wir jetzt, dass wir eine Erscheinungsform der Quelle sind.

- Anstatt uns mit den Schwingungen des Geistes zu identifizieren, der jede Situation beurteilt, identifizieren wir uns nun mit der Präsenz des Beobachters, der alles objektiv betrachtet.

- Anstatt jede Situation verbessern zu wollen, wenn der Geist nicht mit ihr einverstanden ist, entspannen wir uns. Wir handeln nicht mehr und beobachten verwundert, wie das Leben sich in Vollkommenheit entfaltet, ganz von selbst und ohne unsere Hilfe. Stellen Sie sich das vor!

- Der Schlüssel zum wahren Glück im Leben und das Ende der spirituellen Suche ist in diesem Satz enthalten: *Umarme das Leben so, wie es ist.*

Das hört sich ziemlich einfach an, nicht wahr? Es ergibt sogar von einem rein intellektuellen Standpunkt aus einen Sinn, wenn das schäumende Wasser des Übergangs Sie mitreißt.

In den letzten zwei Jahren habe ich Tausende von Köpfen nicken und in totaler Übereinstimmung und Erleichterung lächeln sehen, wenn ich diese grundlegende Botschaft verkündete.

Aber Moment mal ... Das ist zwar ganz leicht zu verstehen – aber ist es wirklich so einfach, „Ja" zu tanzen, obwohl die vielen Probleme des Alltags „Nein" sagen? Diese Woche war interessant, weil wir die vielen Möglichkeiten erforscht haben, das Leben so zu nehmen, wie es ist.

Einer der Teilnehmer hat in den letzten zwei Jahren bereits an mehreren Intensivkursen teilgenommen. Er spürt den Übergang in seiner vollen Wucht; sein Leben ist viel angenehmer geworden, und er besucht die Satsangs nur, weil es ihm Freude macht. Als ich ihn jedoch hier in Costa Rica unter verschiedenen Umständen rund sechzehn Stunden am Tag beobachtete, war ich erstaunt. Obwohl er mit dem Strom des Lebens zu schwimmen schien, was die „großen, wichtigen" Ereignisse anbelangt, verhielt er sich mindestens fünfzigmal am Tag autoritär, wenn es um „Kleinigkeiten" ging.

Er wollte immer wieder seinen Kopf durchsetzen. Er hatte deutliche Vorlieben, und sein Geist verhielt sich kontrollierend nach Art des „Handelnden". Im Speisesaal verlangte er: „Bitte mach die Musik leiser!", oder er behauptete: „Du sitzt auf meinem Platz!" Er wollte als erster massiert werden und kam zu jeder einzelnen Sitzung zu spät. Er versuchte also, andere teils passiv, teils aggressiv zu manipulieren.

Ich war daher nicht überrascht, als er eines Abends beim Satsang klagte, er langweile sich und nicke immer wieder ein. Obwohl das noch nie vorgekommen war, ergab es einen Sinn. Etwas anderes kam noch hinzu: Der junge Mann war ein guter Sportler; trotzdem traten unmittelbar vor dem Übergang starke Rückenbeschwerden bei ihm auf. Wie hing das alles zusammen?

Ich gebe derzeit Workshops zusammen mit Dr. John Veltheim, einem Australier, der alle Krankheiten mit „Körpersprache" heilt und dabei erstaunliche Erfolge hat.

Ich bin von seiner Methode begeistert, weil er den physischen und den emotionalen Körper mit derselben inneren Weisheit der Quelle heilt, die ich benutze, um die Trennung zwischen dem menschlichen Geist und der Einheit zu heilen.

Er hat nachgewiesen, dass bei fast jedem Patienten eine Verbindung zwischen seinen Beschwerden und einem heftigen Widerstand besteht, der im körperlichen Gedächtnis verborgen ist. Sobald dieser traumatische Widerstand gegen Ereignisse des Lebens durch die Therapie der Körpersprache aufgelöst wird, kommt es zu einer spontanen und dauerhaften Heilung.

Ich kann mir gut vorstellen, dass der Rücken meines Freundes nach Süden strebte, wenn er sich nach Norden wandte; denn er wehrte sich heftig dagegen, das Leben so zu nehmen, wie es ist. Er kämpfte gegen den alltäglichen Kleinkram an, und wir alle wissen, dass das Leben hauptsächlich aus Kleinkram besteht. Das könnte durchaus der Auslöser für seine Beschwerden sein. Auch ich habe mich gegen die Realität des Lebens gesträubt, bevor mein Übergang vollendet war.

Dabei wurde mir ein wichtiger Aspekt dieses Prozesses klar:

Vielleicht glaubst du, du hättest „es" geschafft.
Vielleicht weißt du genau,
dass die Kraft des Übergangs dich mit sich trägt.
Vielleicht glaubst du,
dass du jetzt die Tragödien des Lebens ertragen kannst.
Aber deine Erlösung macht nur dann Fortschritte,
wenn du trotz der vielen täglichen Probleme
Ja tanzen kannst.

Vielleicht überraschen Sie sich selbst, wenn Sie „Ja" tanzen, obwohl Sie entlassen wurden, obwohl Ihr Partner Sie sitzen ließ, obwohl eine alte Dame sich an der Supermarktkasse vordrängte … und so weiter.

Der Übergang von der dritten in die vierte Dimension bedeutet, dass Sie erkannt haben, wer Sie wirklich sind: eine Manifestation der Quelle. Dann ist es nicht mehr wichtig, was Sie tun oder nicht tun. Sie sind vorübergehend auf einen bestimmten Geist/Körper-Organismus mit einzigartigen Genen und Anlagen beschränkt – so ist es eben. Sie beobachten, wie das Leben sich von Augenblick zu Augenblick vor Ihnen entfaltet. Anstatt jeden Tag Hunderte von möglichen Entscheidungen gemäß Ihren Vorlieben zu treffen und alles kontrollieren zu wollen, lassen Sie das Leben einfach geschehen – so, wie es ist.

Ich versichere Ihnen, dass Leiden unvermeidlich ist, wenn Sie versuchen, das Leben „in den Griff zu bekommen". Akzeptieren Sie das Leben so, wie es ist; das ist meines Wissens das einzige Rezept für wahres und dauerhaftes Glück.

Wenn ich nach dem Geheimrezept frage, das uns auf Erden mit Gewissheit glücklich macht, sehe ich viele hochgestreckte Hände; denn hier geht es um die Lieblingsvorstellungen jedes Menschen. Bestandteile Ihres Rezepts sind vielleicht eine liebevolle Beziehung, gute Gesundheit, Intelligenz, finanzielle Freiheit, um sich die schönen Dinge im Leben leisten zu können, und alles andere, was wir haben wollen. Ein aussichtsloses Unterfangen! Solche Phantasien und einige mehr hegte ich selbst vor meinem Übergang, und sie befriedigten mich nie länger als eine Minute.

Ich habe herausgefunden, dass wir nur dann wirklich und dauerhaft glücklich sind, wenn wir das Leben so umarmen können, wie es ist, unabhängig von den Wünschen des Geistes! Das ist ein Wunder und eine Gnade.

Vor dem Übergang spürte ich keine liebevolle Dankbarkeit für das, was in meinem Leben geschah. Jetzt empfinde ich diese tiefe Dankbarkeit jeden Tag, und zwar ohne dass etwas Bestimmtes geschehen muss. Warum? Weil die Präsenz meines Beobachters dieses Wunder vollbringt.

Natürlich hält mein Freund im Intensivkurs sich nicht für jemand, der alles unter Kontrolle haben will. Wahrscheinlich glaubt er, dass er mit dem Leben tanzt, so schnell er kann, und vermutlich hat er recht. Aber er merkt nicht, dass er den größten Teil des Tages immer noch damit verbringt, sich den kleinen Ärgernissen des Lebens zu

widersetzen. In großen Ereignissen sieht er Krisen, die es anzunehmen gilt. Er hat aber noch nicht verstanden, dass die Akzeptanz der
kleinen Probleme ebenfalls ein integraler Bestandteil seiner Erlösung
ist. Wann wird er das begreifen? Sobald es für die reife Mango Zeit
ist, vom Baum zu fallen!

Die Energiegesetze, die diese Welt der Erscheinungen regieren

Wenn die Quelle ruht, ist sie unpersönliche, formlose, ewig expandierende Energie. Sie ist sich ihrer selbst bewusst und befindet sich in einem Zustand, den die Alten Glückseligkeit nannten. Ich nenne es lieber tiefen Frieden, denn so empfinde ich die Präsenz. Irgendwann hatte die Quelle einen Traum, dessen reine mentale Energie eine andere Wirklichkeit erschuf: unsere Welt der Erscheinungen. Seither sammelt die Quelle persönliche, einzigartige und einmalige Erfahrungen, vermittelt durch alle menschlichen Geist/Körper-Organismen.

Dennoch bleibt die unendliche Intelligenz hinter diesem Traum eine unpersönliche Energie, und darum sind Gesetze notwendig, um das Universum automatisch zu steuern, ohne dass eine persönliche Entität eingreifen müsste. Wir nennen diese Entität „Gott" und glauben, sie sorge für Gerechtigkeit und belohne jene, die es verdienten.

In den sechs Jahren der Erlösung nach meinem Übergang habe ich mindestens ein Dutzend dieser universellen Gesetze am Werk gesehen und war davon fasziniert. In all den Jahren davor hatte ich als Suchender keine Ahnung davon gehabt. Bei meinen Satsangs sage ich immer wieder: *Allen, die sich beim stillen Satsang auf die Präsenz des Beobachters einstimmen, steht jede Weisheit zur Verfügung.*

Das Gesetz des Ausgleichs zwischen Freiheit und Begrenzung

Dies ist das wichtigste Energiegesetz, das die gesamte Welt der Erscheinungen so schön in Gang hält. Sein Ursprung ist das Gesetz der Gegensätze, das ich anschließend bespreche.

Da niemand die sechs Milliarden Menschen und vielleicht zahllosen anderen Lebensformen im Kosmos wie Marionetten steuert, hat die Quelle jedes Atom und Molekül mit ihrem Bewusstsein, ihrer unendlichen Intelligenz und ihrer ewigen Weisheit erfüllt. Jedes Atom steht in einer Wechselbeziehung mit jedem anderen Atom, und zwar auf harmonische und ausgewogene Weise und im Einklang mit dem ursprünglichen Spielplan.

Das Gesetz des Ausgleichs sorgt dafür, dass die Quelle in jedem Leben einzigartige Erfahrungen sammeln kann, obwohl sich in jedem Leben die positiven und negativen Erfahrungen in einem vollkommenen Gleichgewicht halten.

Dieses Gesetz ist am schwersten zu verstehen, wenn wir mit dem Übergang begonnen haben. Ich weiß nicht, warum das so ist – und im Grunde ist es egal. Jedenfalls sehen wir nicht ein, dass Attila und der heilige Franziskus in ihrem Leben gleich viel Freiheit und Begrenzung erfahren haben sollen.

Die meisten Menschen glauben, sie hätten entweder ein viel besseres oder ein viel schlechteres Leben als andere Leute. Aber wenn die Erlösung Fortschritte macht, verschwindet diese Vorstellung, weil der Beobachter die Urteile des Geistes überlagert. Ein Teilnehmer an einem Intensivkurs lehnte dieses Gesetz zunächst ab; doch eines Tages schrieb er ein Buch darüber und erläuterte, wie vollkommen es ist!

Machen Sie sich bitte klar, was dieses Gesetz für den armen, kleinen Geist bedeutet: Es bekräftigt, dass alles gut ist, obwohl bisweilen das Chaos zu herrschen scheint. Die Berg-und-Tal-Bahn des Lebens hat gleich viele Höhen und Tiefen und versorgt uns mit allen möglichen positiven und negativen Gefühlen sowie mit Freiheit und Begrenzung in ausgewogenem Verhältnis.

Niemand im Universum braucht Ihnen also leid zu tun, und Sie brauchen niemanden zu beneiden, weil es ihm scheinbar besser geht als Ihnen. Das stimmt nicht! Natürlich hat der Geist einen anderen Eindruck; aber die Wirklichkeit ist ausgewogen. Sie müssten in die Haut jedes anderen schlüpfen können, um zu wissen, was er in verschiedenen Situationen empfindet. Ihr begrenzter Geist ist jedoch außerstande, sich eine schier unbegrenzte Zahl von Lebensszenarien vorzustellen. Darum kann der Geist dieses Gesetz nicht bestätigen. Ich verstehe es nur in der tiefen Stille des Satsang, wenn mein Beobachter entzückt feststellt, dass das ganze Leben vollkommen ausgewogen ist.

Das Gesetz der Gegensätze

Dieses Gesetz ist die Folge des vorherigen. Vielleicht sind die beiden sogar Zwillinge – wer weiß! Aber es ist unverkennbar, dass die Quelle dieses Gesetz aufgestellt hat.

Einerlei, welche Höhen und Tiefen der Gefühle Sie durchgemacht haben, irgendwann werden Sie das genaue Gegenteil dieser Gefühle ebenfalls durchmachen. Und das Gesetz der Freiheit und Begrenzung gewährleistet, dass die Bilanz am Ende Ihres Lebens völlig ausgeglichen ist.

Das Gesetz der Gegensätze sagt lediglich, dass Sie stets auch das Gegenteil Ihrer Siege und Niederlagen, Ihrer glücklichen und tragischen Stunden erfahren werden. Darum betone ich immer wieder, dass der Übergang Sie von der Berg-und-Tal-Bahn der Gefühle befreit, so dass Sie *bewusst, aber ohne einzugreifen*, in ganz neutralen Gewässern kreuzen können.

Ja, vielleicht erfahren Sie das, was für andere die Ekstase des Erfolges oder die Agonie der Niederlage ist. Aber nach dem Übergang kommen Ihnen beide Pole ziemlich neutral vor. In der Präsenz versinken Sie so tief im Ozean des Bewusstseins, dass die Ereignisse an der Oberfläche Sie nicht mehr erschüttern können – Sie empfinden Frieden und akzeptieren das Leben so, wie es ist.

Es wird Probleme und Momente der Glückseligkeit geben; doch sie haben nichts mehr mit Ihrem wahren Leben zu tun. Denn jetzt leben Sie in der Präsenz der Quelle.

Das Gesetz der Demütigung

Wie Sie inzwischen wissen, haben alle diese Gesetze den Zweck, das Leben zu harmonisieren und gleichzeitig der Quelle einen interessanten Spielplatz in dieser Welt der Erscheinungen zu verschaffen. Und was am wichtigsten ist: Diese Normen setzen sich automatisch durch, weil sie bewusste, intelligente Kräfte sind, die im unpersönlichen Bereich der Quelle entspringen.

Der Spielplan sieht so aus: Sie werden mitten im menschlichen Dilemma geboren und haben daher einen Geist mit einem eigenen dreidimensionalen Leben innerhalb Ihres wahren Wesens, des reinen *Satchidananda*. Dieser kleine Gauner hat die Aufgabe, Sie unermüdlich zu plagen, indem er jeden Gedanken beurteilt, den er empfängt, und dann versucht, seine Wünsche zu befriedigen oder etwas gegen Unerwünschtes zu unternehmen. Dadurch erzeugt er Gegensätze, die ihrerseits die Illusion der Trennung hervorrufen.

Wenn der Geist sich zu drehen beginnt, entsteht früh im Leben eine Persönlichkeit, die an ihren freien Willen glaubt und sich für den „Handelnden", den Kapitän ihres eigenen Schiffes hält. Natürlich löst diese Illusion das menschliche Dilemma aus, und wir glauben mit aller Macht, dass wir im eigenen Auto auf der Autobahn des Lebens fahren. In Wahrheit sind wir kleine Kinder, die angeschnallt sind und an einem Spielzeuglenkrad kurbeln.

Das Gesetz der Demütigung ist mit dem Gesetz des Ausgleichs verzahnt, wenn unser Ich sich vor Überheblichkeit aufbläht wie ein Luftballon. Das geschieht, wenn wir uns Ziele setzen und glauben, wir hätten sie erreicht oder sogar noch übertroffen. Dann schreiben wir unser Glück im Leben der Kraft unseres Geistes zu.

Dann tritt der Drache der Demütigung auf, der keinen Menschen fürchtet, weder einen Papst noch einen Präsidenten noch den heiligsten aller Heiligen. Wenn Sie sich für etwas ganz Besonderes halten, dann können Sie sicher sein, dass dieser Drache Ihnen einen Besuch abstattet, und zwar vermutlich eher früher als später.

Ein paar Beispiele mögen dieses Gesetz illustrieren. Wer denkt dabei nicht an den früheren amerikanischen Präsidenten Clinton? Er war das Staatsoberhaupt des mächtigsten und reichsten Landes der Welt. Er hatte alles, was ein Mann erstreben kann: die höchste Macht, eine nette Familie, Gesundheit, Reichtum, Ruhm und die Achtung der ganzen Welt. Wahrscheinlich hielt er sich für einen ganz besonderen Kerl. Dann besuchte ihn der Drache in Gestalt einer jungen Dame namens Monica, und über Nacht wurde Bill zur Lachnummer der ganzen Welt. Ergebnis: Ein reuiger Sünder, der auf den Trümmern seiner Welt die große Welt um Vergebung bittet. Das Gesetz der Demütigung ist unerbittlich. Glauben Sie nicht, dass der Drache auch Nixon besuchte?

Eine Zahl, die im Zusammenhang mit der Clinton-Affäre Schlagzeilen machte, war sehr eindrucksvoll. Das FBI untersuchte einen Fleck auf Monicas Kleid und stellte mittels DNS-Analyse fest, dass er mit einer Wahrscheinlichkeit von siebeneinhalb Billionen zu eins von Clinton stammte. Was lernen wir daraus über unsere Einzigartigkeit im menschlichen Dilemma? Clinton ist so einmalig, dass wir mehr als eine Million anderer Planeten absuchen könnten, die ähnlich viele Bewohner wie die Erde haben, ohne eine identische DNS zu finden.

In jüngeren Jahren – als ich Gurus noch für etwas Besonderes hielt – war ich Anhänger von Sri Bhagwan Rajneesh, auch Osho genannt. Dieser erwachte Meister verkündete eine einzigartige und erfrischende Botschaft der Freiheit, nach der eine hungrige, kleine spirituelle Gemeinde sich sehnte. Dann wuchs die Gemeinde auf eine Million Mitglieder an, die alle behaupteten, Osho sei ein ganz besonderer Guru, und ihn mit mehr Geld und Bewunderung überhäuften, als die Polizei erlaubt. Zusammen mit den anderen *Sannyasins* (Leute, die ein Gelübde oder *sannyas* abgelegt haben, um die Selbsterkenntnis zu erlangen) stand ich jeden Tag an der Straße, nur um zu winken und beinahe in Ohnmacht zu fallen, wenn er in einem neuen Rolls Royce vorbeifuhr. Bewacht wurde er von einer Phalanx aus Bodyguards, die sein Auto umringten, während ihn ein Hubschrauber von oben beschützte.

Trotzdem weiß ich mit Sicherheit, dass Osho am Anfang seines Prozesses des Erwachens und der Befreiung das köstliche Gefühl genoss, ein gewöhnlicher Mensch zu sein. Aber Ruhm und Macht sind ansteckende Viren; sie breiten sich überall aus. Fünfzehntausend Anhänger, die in einer Satsang-Halle stehen und dem neuen Avatar zujubeln, können jedem Heiligen den Kopf verdrehen. Offensichtlich hat der Drache der Demütigung Osho besucht und ihn vom Thron gestoßen. In der Uniform der amerikanischen Polizei nahm er den großen Meister fest, legte ihm Handschellen an und sperrte ihn heimlich ins Gefängnis, ohne auf seine gesetzlich garantierten Rechte Rücksicht zu nehmen. Oshos ganzes Reich stürzte ein, und seine bitter enttäuschten Anhänger verließen ihn in Scharen.

Das ist nichts Ungewöhnliches. Unser freundlicher Drache kümmert sich nur um das vollkommene Gleichgewicht, damit das Ich nicht zu übermütig wird.

Doch das Gesetz der Demütigung gilt nicht nur im großen Leben. Es regiert selbst die kleinsten Details unseres Alltags. Kaum haben wir angefangen, uns für einen tollen Kerl zu halten, geschieht etwas, was uns für das menschliche Dilemma die Augen öffnet. Es kann ein Herzanfall oder eine Reifenpanne auf dem Weg zur Arbeit sein. Auf jeden Fall gewinnt das Gesetz der Demütigung unsere Aufmerksamkeit, so oder so!

Bitte verwechseln Sie dieses Gesetz aber nicht mit dem göttlichen Racheengel. Es ist im Gegenteil die liebevolle, intelligente Energie eines vollkommenen Universums. Es sorgt dafür, dass die Quelle jedes Mal, wenn sie menschliche Gestalt annimmt, zwar einzigartige emotionale Erfahrungen macht, aber dabei niemals die Harmonie des ganzen Tanzes gefährdet. Das Gesetz der Demütigung garantiert, dass wir ob unserer „Besonderheit" nicht den Kopf verlieren. Schließlich sind wir die Quelle aller Dinge, und das ist die einzige Besonderheit, die uns Glück und Erfüllung bringt.

Das Gesetz des Karma

Karma steht im Zentrum der östlichen Spiritualität. Dieses Sanskritwort bedeutet „Ursache und Wirkung", ohne spirituellen Unterton. Aber die östliche Tradition schließt auch das Prinzip der Trennung ein und empfiehlt spirituelle Disziplin, um Gott näher zu kommen.

Wenn Sie Gutes tun, sollte es Ihnen also gut gehen, nicht nur in diesem Leben, sondern auch in den folgenden. Wenn Sie dagegen böse genug sind, kehren Sie nach dem Tod möglicherweise als dreiköpfige Kröte zurück.

Warum halten die Menschen so viel vom Karma? Weil der Geist sich mit den guten und bösen Folgen seines Tuns völlig identifizieren kann. Genau das ist ja seine Aufgabe!

Als Anfang der Sechzigerjahre die New-Age-Bewegung entstand, wurde das Karma selbstverständlich zum Eckstein ihrer Philosophie. Offenbar waren wir gar nicht die armen Opfer im Leben, wie die organisierten Religionen behaupteten!

Nein, wir sind für unsere Gedanken selbst verantwortlich, und die Gedanken bestimmen das Handeln und dieses die Wirklichkeit. Wir sind keine hilflosen Schäfchen mehr, die auf Gottes Gunst hoffen! Wir können unser Leben selbst gestalten, sofern wir unser Denken und Tun im Griff haben. Nun ja, viel Glück dabei! Einerlei, was der Geist glaubt – bisher konnte noch niemand, der ins menschliche Dilemma hineingeboren wurde, seine Gedanken steuern. Die Transzendentale Meditation und zahllose andere Methoden wurden nur deshalb so populär, weil sie vorgaben, man könne damit Herr seiner Gedanken werden oder wenigstens den Geist ein bisschen beruhigen.

Anfangs keimte vielleicht sogar Hoffnung in Ihnen, als Sie diese Botschaft von der persönlichen Freiheit durch Beherrschung des Geistes hörten. Leider ist sie noch unglaubhafter als das, was die organisierten Religionen uns weismachen wollen. Je mehr Sie sich darauf konzentrieren, dass Sie ein separater „Handelnder" sind, und je mehr Sie Ihre Welt manipulieren und meistern wollen, desto mehr müssen Sie leiden.

Das ist das Gesetz des Karma. Wenn Sie glauben, Sie seien für Ihr Tun verantwortlich und hätten dafür Lob oder Strafe verdient, dann entspricht das Ausmaß Ihres Leidens der Intensität Ihrer Versuche, Ihr Handeln zu steuern.

Aber es gibt auch eine gute Nachricht: Das Gesetz des Karma geht hier und jetzt zu Ende! Der Übergang von der dritten in die vierte Dimension ist eine große Befreiung, denn sobald Sie erwachen, erkennen Sie, dass Sie reines Bewusstsein sind, nicht aber der „Täter" aller so genannten Handlungen in der dritten Dimension und ihrer scheinbaren Folgen.

Wenn Sie sich nicht mehr mit Ihrem Geist identifizieren, der jeden Gedanken beurteilt und darauf mit Verlangen oder Widerstand reagiert, geschieht etwas Seltsames und Wunderbares mit dem alten Gesetz des Karma – es gilt nicht mehr! Sie haben keine Angst mehr vor Strafe und hoffen nicht mehr auf eine Belohnung. Sie sind frei und dürfen das Leben ohne Konsequenzen genießen, weil es kein „Ich" mehr gibt, das für Ihr Leben verantwortlich ist. Wachen Sie auf, erkennen Sie, wer Sie wirklich sind: Dann können Sie alles tun. Sie sind nichts anderes als eine Erscheinungsform der Quelle, und dieser kleine geschwätzige Affe des Geistes ist nicht mehr der Herrscher über Ihr Leben.

Ursache und Wirkung gibt es nach wie vor; denn so ist das menschliche Dilemma programmiert. Etwas geschieht, was wir „Ursache" nennen, und dann geschieht etwas anderes, was wir „Wirkung" nennen. Was ist diese „Wirkung?" Jeder Mensch ist von Geburt an so programmiert, dass er dank seiner beiden DNS-Stränge und seiner gesellschaftlichen Konditionierung absolut einzigartig ist.

Immer wenn eine „Ursache" oder ein Reiz den Geist bewegt, reagieren wir automatisch nach unserem Programm. Das gilt auch nach dem Übergang. Aber die höhere Frequenz des Übergangs hat uns vielleicht so verändert, dass wir anders reagieren als zuvor und uns nicht mehr für den „Handelnden" halten. Ursache und Wirkung (Aktion und Reaktion) sind immer vorhanden. Doch das Gesetz des Karma erlischt, weil wir uns nicht mehr mit dem urteilenden Geist identifizieren, der Gedanken oder Handlungen auslöst. Darum gibt es zwar noch Reaktionen, aber nicht mehr deren Folgen.

Jetzt identifizieren wir uns mit der Präsenz unseres Beobachters. Wir lachen über die Vorstellung von einem guten oder schlechten Karma – wie ein Kind, wenn es erfährt, dass es weder einen Nikolaus noch einen schwarzen Mann in der Dunkelheit gibt.

Jetzt sind wir frei. Das Gesetz des Karma gilt nur in der dritten Dimension, auf der Ebene der Trennung. Im Übergang gibt es nur noch Einheit, aber kein Karma.

Das Gesetz des Verlangens

Dieses Gesetz entspringt unmittelbar dem Gesetz des Urteilens. Wer in das menschliche Dilemma hineingeboren wird, ist mit einem funktionierenden Geist ausgerüstet, dem die unendliche Intelligenz eine doppelte Aufgabe zugewiesen hat. Ein braver Geist empfängt Gedanken (die mentale Energie der Quelle), beurteilt sie sofort und zerlegt sie in Gegensätze. Was er als gut bewertet, will er unverzüglich *tun*. So entsteht *Verlangen*.

Was dem Geist nicht gefällt, ruft seinen *Widerstand* hervor. Nun könnte man meinen, positive und negative Urteile seien gleichmäßig verteilt. Aber dem ist nicht so.

Ist Ihnen schon einmal aufgefallen, dass Sie achtzig Prozent Ihrer Energie dazu benutzen, sich gegen alles zu wehren, was Ihnen missfällt, so dass nur noch zwanzig Prozent für das, was Ihnen gefällt, übrigbleiben? Und haben Sie bemerkt, dass Ihr Geist es fast immer vorzieht, in den negativen Aspekten einer Situation zu schwelgen? Wenn ja, sind Sie keineswegs allein auf weiter Flur; denn dies ist ein Merkmal des menschlichen Dilemmas.

Was hat die Quelle davon, dass der Geist automatisch urteilt und dann begehrt oder Widerstand leistet? Sie hat unbegrenzten Zugang zur Seifenoper, die wir Leben nennen, und damit auch zum breiten Spektrum der menschlichen Gefühle. Genau so soll es sein. Woher ich das weiß? Weil das Leben so ist, wie es sein soll!

Die Kehrseite dieses Gesetzes ist, dass Sie in jeder Situation leiden, die der Geist als unangenehm beurteilt. Es gibt keinen Weg aus dem Leiden, solange wir uns in der dritten Dimension mit dem Geist identifizieren. Das bedeutet nicht, dass die Quelle grausam, masochistisch oder ein Witzbold ist, weil sie einen Geist geschaffen hat, der zum Leiden verdammt ist. Das Gesetz der Gegensätze ist ja auch noch da.

Der begrenzte Geist/Körper-Organismus, der sich von anderen getrennt glaubt, wird mit Sicherheit erwachen und sich daran erinnern, wer er wirklich ist. Das geschieht spätestens im Augenblick des Todes, wenn die kleine Blase, die über dem Meer des Bewusstseins schwebt, platzt und mit einem lauten „Aha!" erkennt, dass sie das ganze Meer ist und immer war. Wenn Sie ein Suchender sind, der sich nach Selbsterkenntnis sehnt, werden Sie dank des neuen Kraftfeldes erwachen, das ich Übergang nenne. Denken Sie aber daran, dass Sie eher eine Reihe von kleinen Aha-Erlebnissen haben werden anstatt eines einzigen großen, solange Sie mit jeweils einem Fuß in einer anderen Dimension stehen. Diese kleinen Aha-Erlebnisse nenne ich *Befreiung*.

Das Gesetz der Liebe

Bevor wir über die Liebe reden können, müssen wir sie von den Flecken befreien, die sie vom dreidimensionalen Blickwinkel aus hat. Meine Definition lautet, einfach ausgedrückt: Wir lieben, wenn wir alles akzeptieren und umarmen, was ist, und zwar so, wie es ist, und nur deshalb, weil es ist – ohne Bedingungen und ohne den Wunsch, es möge anders sein. Das heißt nicht, dass Ihr Geist alles mögen muss. Liebe ist ein ganz neutraler Blickwinkel, wenn unser Standpunkt sich in der vierten Dimension befindet.

Das ist ein interessanter Teil meiner Geschichte, auf den Sie als Suchender Ihr Leben lang gewartet haben. Wenn die ersten Einsichten des Übergangs Sie überraschen, erleben Sie eine subtile Transformation: Sie hören auf, alles, was ist, zu beurteilen, und fangen an, alles anzunehmen. Was für ein köstliches Gefühl! Was für eine Erleichterung, die Präsenz des Beobachters zu spüren und das Leben so willkommen zu heißen, wie es ist, anstatt sich mit einem Geist zu identifizieren, der an allem etwas auszusetzen hat.

Wenn Ihnen allmählich bewusst wird, dass Ihre Macht sich vom Geist auf die Präsenz verlagert hat, dann wissen Sie, dass Sie die Grenzen zwischen den Dimensionen überschritten haben.

Während das Urteilen einen Sprössling namens *Verlangen* hat, bringt die Liebe ein schönes Kind zur Welt, das *Inspiration* heißt. Denken Sie eine Minute darüber nach, wie unerfüllbare Wünsche Sie ein Leben lang gequält haben. Selbst wenn einige Wünsche sich erfüllten, waren Sie nie länger als zehn Minuten zufrieden.

Buddha sagte vor 2.500 Jahren: „Das Verlangen ist die Wurzel allen Leidens." Ich sehe es ein wenig anders: Der Widerstand ist die Ursache allen Leidens, weil das Verhältnis zwischen ihm und dem Verlangen etwa 80:20 beträgt.

Wie dem auch sei, stellen Sie sich einmal Folgendes vor: Beim Übergang werden alle Ihre Wünsche transformiert, und Sie erreichen einen Zustand der Bewusstheit, der dem Gesetz der Inspiration gehorcht. Das Verlangen treibt Sie zwanghaft an; die Inspiration ist die sanfte Freude des Herzens an der Entfaltung seines Schicksals in dieser Welt. Das Verlangen fesselt Sie an das Ergebnis Ihres *Tuns*, und wenn Sie keinen Erfolg haben, kann das ebenso schmerzhaft sein wie eine Zahnwurzelbehandlung ohne Betäubung. Die Inspiration führt Sie instinktiv zur Glückseligkeit – ohne Angst vor dem Versagen, da für den Beobachter alle Ergebnisse gleichwertig sind.

Es ist etwas völlig anderes, ob Sie vom Verlangen getrieben oder von der Inspiration geführt werden. Der Unterschied ist so deutlich, dass der Geist gar nicht erst überlegen muss, ob er es mit Verlangen oder mit Inspiration zu tun hat.

Ich neige aufgrund meiner Veranlagung sehr zu Süchten und zwanghaftem Verhalten. Darum weiß ich, wie man sich fühlt, wenn der Geist und sein Verlangen die treibende Kraft im Leben sind – es ist alles andere als angenehm. Um so eindringlicher ist meine Erfahrung: Ich versichere Ihnen, dass der Übergang selbst quälende Begierden, die zu einem lebenslangen Alptraum geworden sind, durch einen simplen Partnerwechsel in einen liebevollen Tanz der Hinnahme transformieren kann: Er schickt den Geist fort und wendet sich der sanften Inspiration zu!

Hände hoch!

In den ersten fünf Jahren der Befreiung nach meinem Übergang zögerte ich, jemandem von einem Prozess zu erzählen, den ich *High Five* nenne. Immerhin hatte ich als Suchender zahllose spirituelle Methoden ausprobiert, um erleuchtet zu werden. Aber die High Five führten mir den Gegensatz zwischen dem „Tun" des Suchenden und dem Übergang, der ganz von selbst kommt, klar und deutlich vor Augen. Der Übergang brauchte keine Hilfe von „mir"! Weitere vier Jahre im Gefängnis verschafften mir einen ruhigen Platz mitten in der Präsenz des Beobachters, so dass ich zusehen konnte, wie meine Befreiung langsam die unzähligen Schichten aus alten, mit meinem aktiven kleinen Affengeist erworbenen Vorstellungen abschälte. Darum wollte ich nichts von mir geben, was einer weiteren spirituellen Technik auch nur ähnelte und Suchende verwirren könnte.

Die Ergebnisse der High Five sind ziemlich dramatisch. Da wir immer noch einen Fuß in der dritten Dimension haben, schließt der Geist messerscharf: „Widerstände sind schmerzhaft, und diese ‚Technik' kann sie samt der Wurzel beseitigen. Also wenden wir sie an, um uns sofortige Linderung zu verschaffen!" Aber die High Five wirken nicht, wenn der Geist damit nur sich selbst heilen will.

Was kann uns schneller und gründlicher aufrütteln als ein Widerstand des Geistes, der eine Situation beurteilt hat und sich gegen sie wehrt? Das ist unser Weckruf, verbunden mit der Mahnung „Schlaf nicht wieder ein!" Wir hören den Beobachter viele Male am Tag rufen, wenn Widerstände den Geist überschwemmen.

Mit Hilfe der High Five analysieren wir jeden Widerstand völlig bewusst und erkennen, was er ist: eine Einladung der Präsenz, das Leben im menschlichen Dilemma aus einem neuen Blickwinkel – dem der Quelle – zu betrachten. Was bisher ein Ärgernis war, wird dadurch zum Visum, das uns den Zugang zur vierten Dimension verschafft, und das unzählige Male am Tag.

Für den Fall, dass Sie nicht wissen, was „High Five" in der amerikanischen Umgangssprache bedeutet, möchte ich den Ausdruck kurz erklären. Das beste Beispiel sind zwei Fußballspieler, die nach einem Tor in die Luft springen, mit ausgestreckten Händen aufeinander zulaufen und die Handflächen hoch über dem Kopf aneinander schlagen. Oft rufen sie dabei laut „Jaaa!" Außerdem sind die erhobenen fünf Finger eine Geste, mit der Menschen sich begrüßen oder zeigen, dass sie auf einer Wellenlänge sind.

In unserem Fall begegnet ein Widerstand der Präsenz des Beobachters. Sie rufen gemeinsam „Ja!" zum Leben, so wie es ist. Sie tauschen innere Weisheit aus, die uns mit Einsicht überflutet, und der Prozess der Erlösung setzt sich fort und löst alte Vorstellungen auf, ohne die der Widerstand gar nicht erst entstanden wäre.

Ich habe diese neuen High Five nicht erfunden. Es ist mir nur aufgefallen, dass sie spontan auftreten, wenn der Beobachter während eines Widerstandes präsent ist. Nachdem ich diesen Vorgang seit fast sechs Jahren verfolgt habe, fange ich jetzt damit an, ihn bei Satsangs zu erklären, und die Teilnehmer sind begeistert davon.

Die High Five sind eine natürliche Folge des Übergangs, in dem wir uns befinden. In der dritten Dimension ist es ganz natürlich, dass der Geist aus seiner Vorstellung vom Leben, wie es „sein sollte", einen Widerstand produziert. Und es ist jetzt ebenso natürlich für den Beobachter, denselben Widerstand zu nutzen, um unser Verständnis der vierten Dimension und des Lebens zu vertiefen.

Um die Wirkung der High Five zu illustrieren, benutze ich die fünf Finger:

Kleiner Finger: Wenn der Widerstand den Geist und die Gefühle fest im Griff hat, halten Sie am besten ein paar Minuten inne. Denken Sie daran, dass *die Quelle* das Leben plant. Aber Sie gehen damit um, wie es der Geist Ihnen in diesem Moment eingibt. Die Ursache des Widerstandes liegt in der Vorstellung des Geistes, wie das Leben sein sollte. Wenn Sie sich in den Widerstand hinein entspannen und nicht versuchen, ihn zu vertreiben oder das Problem zu lösen, das Ihrer Meinung nach seine Ursache in der materiellen Welt ist, können Sie zunächst einmal das Gefühl beobachten, das Sie in diesem Augenblick empfinden. Spüren Sie es so deutlich wie möglich! Was für ein Gefühl ist es, wütend oder enttäuscht zu sein, ohne diese Emotionen zu unterdrücken?

Untersuchen Sie nun, wie tief das ursprüngliche, vom Widerstand ausgelöste Gefühl sitzt und was seine eigentliche Ursache ist. Wenn Sie einen Widerstand bis in die Tiefe verfolgen, gelangen Sie immer an denselben Ort: Angst! Es ist die Angst, nicht genug Liebe, Sicherheit, Geld oder Zeit zu haben.

Ringfinger: Der nächste Schritt ist der Tanz, der „Ja" zu einem lauten „Nein" sagt. Dieses Nein beansprucht momentan die volle Aufmerksamkeit Ihres Geistes und Ihrer Gefühle. Wohlgemerkt, ich sage nicht: „Das ist gut so." Der Beobachter bestätigt lediglich: „Ja, da ist Wut. So ist nun mal das Leben."

Doch bevor Sie diesen Schritt tun können, ist ein Vorspiel zum Tanz erforderlich. Die Ursache des Widerstandes ist das Leben, so wie es ist, nicht unbedingt das Leben, so wie der Geist es haben wollte. Das Leben entspricht also nicht Ihren Erwartungen. Nehmen Sie sich eine Minute Zeit, um diese Enttäuschung zu spüren. Wenn Sie bewusst ein anderes Gefühl empfinden, zum Beispiel Kummer, können Sie den Widerstand leidenschaftlich umarmen, der jetzt zum neuen Tanz des „Ja" wird und dem „Nein" trotzt.

Sie werden eine angenehme Überraschung erleben, wenn Ihr Beobachter Sie zum ersten Mal dazu bringt, sich in einer Situation zu entspannen, die der Geist Ihr ganzes Leben lang bekämpft hat. Wenn Sie den Zorn des Geistes empfinden und gleichzeitig wissen, dass alles gut ist, weil die Präsenz des Beobachters die scheinbar ernste

Lage mit einem belustigten „Ja" überlagert, dann haben Sie den ersten Blick in die vierte Dimension geworfen.

Wenn ein potenzieller Sponsor für einen Intensivkurs mich um Einzelheiten bittet, fragt er manchmal nach meinen übernatürlichen Kräften – schließlich stehe ich ja mit einem Fuß in der vierten Dimension. Das ist natürlich eine der Mythen über die Erleuchtung. Darum ist meine Antwort stets die gleiche: Meine größte und einzige Macht ist die Fähigkeit, trotz des „Nein" der alltäglichen Widerstände „Ja" zu tanzen. Und das ist zugleich meine größte Freude.

Mittelfinger: Jetzt ist also das „Ja" mitten im Widerstand präsent. Nun nehmen Sie Kontakt mit dem Beobachter auf und prüfen, ob auch ein spezieller Satsang vorhanden ist, der Sie erlösen kann. Nun hat die innere Weisheit Ihrer Präsenz als *Satchidananda* die Chance, die Vorstellung zu zertrümmern, die den Widerstand ausgelöst hat. Die Folge ist, dass Sie das Leben, so wie es ist, besser verstehen. Vielleicht sind Sie in der gleichen Situation, die seit fünf Tagen den Widerstand auslöst; dennoch erhalten Sie jedes Mal einen ganz neuen Satsang.

Zeigefinger: Wenn ich den Satsang verdaut habe, der die Situation erhellt, frage ich meine Präsenz, ob es neben dem hässlichen alten Widerstand auch „liebevolle Dankbarkeit" gibt. Erstaunlicherweise ist immer so viel liebevolle Dankbarkeit da, dass sie die negativen Gefühle überwältigt. Jetzt kichere ich innerlich, während mein Beobachter zur Kenntnis nimmt, wie der Geist eifrig am Widerstand arbeitet und wie köstlich sich die liebevolle Dankbarkeit mitten im Trubel anfühlt. An diesem Punkt löst der Widerstand sich in der Regel auf – vor dem Auge des Geistes.

Daumen: Jetzt verabschiede ich mich endgültig von dem Widerstand, der mir freundlicherweise gezeigt hat, wie das Leben wirklich ist (nicht so, wie der Geist es haben wollte). Ich spüre die sanfte und doch mächtige Präsenz, die mich an mein wahres Wesen erinnert. Und wie fühlt sich der Fuß an, mit dem ich in der dritten Dimension stehe? Wie eine Katze, die sich in der Sonne zusammengerollt hat und zufrieden schnurrt. Plötzlich geht es mir gut. Wie habe ich das geschafft? Ich habe den Prozess der High Five zwischen einem jener Mysterien des Lebens, die ich Widerstand nenne, und der Präsenz meines Beobachters dazu genutzt, Satsang, liebevolle Dankbarkeit und tiefe Verbundenheit mit meinem wahren Wesen auszutauschen.

Anfangs benutzte mein Beobachter diesen Prozess bei fast jedem Widerstand, der sich einstellte. Verwundert und ehrfürchtig beobachtete ich, wie jeder einzelne Widerstand zerplatzte und sich in der Weisheit der Präsenz auflöste. Mit der Zeit waren aber die üblichen kleinen Widerstände nicht mehr brenzlig genug, um diesen Vorgang auszulösen, und mein Beobachter kommentierte nur noch: „So ist nun mal das Leben – was soll's?"

Heute greifen die High Five nur ein, wenn der Widerstand ungewöhnlich stark ist, meist wenn eine unangenehme Situation mich zunächst völlig überwältigt. Doch die Magie der High Five steht mir immer zur Verfügung, und ich nutze sie, um zu analysieren, was diese heftige Reaktion ausgelöst hat, obwohl ich schon seit Jahren mit einem Fuß in der vierten Dimension stehe.

Und jedes Mal, wenn ich einen Widerstand neutral beobachte, erlischt seine Macht innerhalb weniger Minuten vor dem Auge des Geistes. Natürlich gibt es Situationen, die einen heftigen Widerstand hervorrufen, der tagelang anhalten kann. Das gilt vor allem für die Trauer. Aber selbst wenn ich den Verlust eines geliebten Menschen beklage, ist die tröstende Präsenz des Beobachters da. Sie hält mich an der Hand und versichert mir, dass das Leben auch diesmal so ist, wie es eben ist.

Interview:
Der mühelose Übergang

Lynn Marie Lumiere und John Wins interviewten Satyam Nadeen für ein geplantes Buchprojekt. Ihre Fragen und Nadeens Antworten vertiefen und erläutern das, was Sie bisher gelesen haben.

Lynn Marie: Im Zentrum jeder spirituellen Suche steht die Frage „Wer bin ich?" Welche Antwort haben Sie gefunden?

Nadeen: Soll das eine Fangfrage sein? Ich weiß nicht einmal mehr, wer ich bin oder wo ich bin. Aber es gibt ein Bewusstsein des Übergangs, und dazu gehört, dass wir uns daran erinnern, wer wir sind. Erst dann kommen wir weiter. Ich bezeichne das Erwachen als Übergang, weil die Worte *Erwachen* und *Erleuchtung* zu Floskeln geworden sind. Niemand weiß, wovon Sie reden, wenn Sie diese Worte benutzen.

Das Schlüsselereignis des Übergangs ist der Tag, an dem wir erwachen und uns daran erinnern, dass es nur Bewusstsein gibt und dass folglich auch wir und alle anderen Bewusstsein sind. Das hört sich so einfach an – immerhin haben wir 5.000 Jahre spiritueller Disziplin hinter uns. Aber es *ist* so einfach. Derzeit ist in unserer Welt ein Kraftfeld am Werk, das diese uralte Erinnerung weckt. Bis vor kurzem hat die unendliche Intelligenz sie bewusst verborgen.

Sobald Sie sich daran erinnern, wer Sie sind, und erkannt haben, dass Sie kein getrenntes Wesen in der dritten Dimension sind, obwohl Sie sich im Leben als solches erfahren haben, kümmert der Übergang sich um den Rest. Die Erinnerung kann plötzlich kommen. Gestern erinnerten Sie sich noch nicht, und heute erinnern Sie sich. Aber das ist nur ein kleiner Schritt im gesamten Prozess, und dieser Schritt kommt ganz am Anfang. Und jeden Monat und jedes Jahr danach blicken Sie auf diesen ersten Tag zurück, an dem Sie sich erinnerten, und jetzt ist Ihnen klar, dass er nur einen kleinen Schritt bedeutete. Erst dann folgt das, was ich „Erlösung" nenne.

Lynn Marie: Sie sagen, es gebe einen Überganz von der dritten in eine vierte Dimension. Was meinen Sie damit?

Nadeen: Zunächst muss ich erklären, was ich mit der dritten Dimension meine. Sie wurde von der unendlichen Intelligenz eingerichtet, um den Eindruck zu erwecken, wir seien mit dem Geist identisch, was immer das sein mag. Der Geist urteilt, erzeugt Gegensätze, redet uns ein, es gebe einen freien Willen und wir könnten das Leben steuern, und bezweifelt alles, was die Intuition uns sagt. Das ist die dritte Dimension! Wir haben keine Möglichkeit, dieser dritten Dimension von selbst zu entkommen. Keine spirituelle Disziplin bringt uns in die vierte Dimension, und kein erleuchteter Meister nimmt uns mit. Der Übergang in die vierte Dimension ist die Verlagerung der Identität vom dominierenden Geist zur Präsenz des Beobachters, der das Leben so sieht, wie es ist. Danach leben wir bewusst und ohne einzugreifen. Wir schauen zu, wie die dritte Dimension geschieht, und gleichzeitig fällt der Geist noch die gewohnten Urteile, mit denen wir uns jedoch nicht mehr identifizieren. Die Präsenz eines Beobachters bringt uns tiefes Wissen – jenseits des Geistes, jenseits jeder Erklärung, die ich jetzt geben könnte –, das wir durch den Geist wahrnehmen können, ohne dass es von ihm aufgesogen wird.

Das heißt nicht, dass wir keine Widerstände mehr empfinden. Widerstände gibt es nach dem Übergang ebenso wie davor. Der

Unterschied ist, dass wir uns nicht mehr mit ihnen identifizieren – wir beobachten ganz einfach und stellen fest: „Aha, da ist Wut, da ist Freude. Der Geist tut, was seine Aufgabe ist." Dies ist das größte Wunder der vierten Dimension.

Lynn Marie: Dieser Übergang ist also ein Wunder?

Nadeen: Ja. Menschliche Intelligenz und bewusste Anstrengung können uns nicht von der Identifikation mit dem Geist befreien. Der Geist kann sich nicht selbst abschaffen. Sein Zweck besteht darin, alles im Griff zu haben. Darum muss eine übernatürliche Kraft eingreifen. Das Wunder, das sie vollbringt, ist größer als das Wandeln auf Wasser: Es geht darum, dass wir nur noch beobachten, wie das Leben sich entfaltet, und es so annehmen, wie es ist, ohne daran herumbessern zu wollen. In der vierten Dimension beobachten wir das Leben ohne jedes Bedürfnis, einzugreifen. Das ist das einzige Geheimnis des Glücks. In der dritten Dimension können wir nicht glücklich sein, einerlei, unter welchen Bedingungen wir leben. Wenn wir das Leben nicht so annehmen, wie es ist, sind wir nicht glücklich, weil uns stets gleich viel an Freiheit und Begrenzung zugeteilt wird. Jeder Mensch – unabhängig davon, ob er erleuchtet ist oder nicht – bekommt Freiheit und Begrenzung in gleichem Maße; das ändert sich nie. Das Wunder ist die Fähigkeit, mitten im „Nein" des Elends „Ja" zu tanzen. Das ist der Übergang, das ist die vierte Dimension, *und das hat es noch nie gegeben.*

Ich weiß nicht, ob diese Erkenntnis in den Geschichten über Heilige und Erwachte enthalten ist. Selbst dort ist von Geboten und Verboten die Rede, vom Versuch, das Leben zu meistern. Übrigens machen die Heiligen und Erwachten keinen sehr glücklichen Eindruck. Die Heiligen hielten sich für Sünder, die der Gnade der mystischen Vereinigung unwürdig waren. Als ich aufwachte, wusste ich, dass ich absolut würdig war. Weil ich wusste, dass ich die Quelle von allem bin. Also konnte ich unmöglich ein unwürdiger Sünder sein oder den Wunsch nach Kontrolle über das Leben verspüren. Je mehr innere Harmonie mir meine Erlösung verschafft, desto leichter fällt es mir, jedes Detail des Lebens zu akzeptieren und dabei glücklich, friedvoll oder frei zu sein, wie immer Sie es nennen wollen.

Lynn Marie: Sie sagen, der Übergang in die vierte Dimension, in der wir mitten im Trubel „Ja" zum „Nein" sagen können, habe sich nie zuvor ereignet. Aber nach dem, was ich gehört und studiert habe, ist er nichts Neues; er ist nur bekannter als früher, vor allem im Westen. Es gibt seit langer Zeit Lehren, die uns auffordern, das Leben so zu nehmen, wie es ist, und durch diese Akzeptanz frei zu werden. Ich denke da zum Beispiel an die Dzogchen-Schule des tibetischen Buddhismus.

Nadeen: Wenn der Übergang in dieser Lehre enthalten ist, warum haben die Buddhisten dann 10.000 Gebote und Verbote? Im Übergang werden Sie so frei, dass es kein einziges Gebot oder Verbot mehr gibt, weil alles, was ist, eine Manifestation der Quelle ist. Das bedeutet, alles ist genau so, wie es sein soll. Wer noch an Gebote und Verbote glaubt, hat wohl ein ziemlich begrenztes Erleuchtungserlebnis gehabt.

John: Ich glaube, im Buddhismus gibt es Lehren für jedes Entwicklungsstadium. Buddha lehrte etwa vierzig Jahre lang, und er unterwies viele Menschen in unterschiedlichen Entwicklungsstadien. Zum Beispiel lehrte er das rechte Verhalten oder die rechte Gesinnung, damit die Menschen eine feste Grundlage hatten. Dann konnten sie ihrer Sehnsucht folgen und die nächste Stufe der Entwicklung erreichen. Das hat viel mit Geboten und Verboten zu tun, also mit Ethik. Für Dzogchen und Zen, vor allem für Dzogchen, gilt das nicht mehr. Beide lehren, dass alles, was ist, Bewusstsein ist und dass wir die Dinge so nehmen sollen, wie sie sind. Allerdings sind diese Lehren im Westen neu. Es gibt sie seit langem, aber sie breiten sich erst aus, seit die Chinesen Tibet besetzt haben.

Nadeen: Wahrscheinlich kann niemand etwas völlig Neues sagen. In den spirituellen Strömungen, die den Anhängern des New Age vertraut sind, habe ich jedenfalls nichts davon gehört. Darum habe ich in meinem ersten Buch Verse aus dem *Tao Te King* zitiert. In diesen 3.000 Jahre alten Versen steht genau das, was ich sage. Und in diesem Buch zitiere ich Verse aus der *Ashtavakra-Gita*, die ebenso alt sind und wiederum das Gleiche sagen. Das Problem ist, dass Sie es nur verstehen, wenn Sie den Übergang bereits geschafft haben. Andernfalls ergibt es keinen Sinn. Diese Lehren existieren also; aber sie betonen nicht, dass wir das Leben so akzeptieren müssen, wie es ist, ohne etwas daran zu verändern. Sie legen vielmehr großen Wert auf das Tun, die Disziplin oder, auf einer noch unbedeutenderen Ebene, auf Nirvana, Glückseligkeit oder Samadhi, die nur ein nebensächlicher Aspekt sind. Je früher wir diese Gipfelerlebnisse hinter uns lassen, desto besser. Im Übergang leben wir mit der Präsenz, die kein Gipfelerlebnis ist und nie endet. Alles, was uns davon ablenkt – auch ein Anfall von Glückseligkeit –, ist nur eine Seifenblase, aber kein Teil des Übergangs.

Lynn Marie: Es stimmt, dass diese Lehren das Handeln und die Glückseligkeit betonen. Ein Mensch kann in diesem Leben so viele unterschiedliche Erfahrungen machen. Wären wir die ganze Zeit glückselig, würden wir die Bandbreite unserer Erfahrungen dadurch einschränken. Die Glückseligkeit ist eben nur ein kleiner Teil des Spektrums. Wer erwacht ist, der ist offenbar in jeder Hinsicht lebendiger und erlebt das gesamte Spektrum der menschlichen Erfahrungen.

John: Als wir *Von der Zwiebel zur Perle* lasen, waren wir von dem Paradox überrascht, dass Sie die Freiheit während einer extremen physischen Unfreiheit erlangt haben. Wie war das möglich?

Nadeen: Ich glaube, John, es gibt einen noch erstaunlicheren Aspekt. Als ich auf meinem Berggipfel in Costa Rica lebte und praktisch unbegrenzt viel Geld und Macht hatte, fand ich dort keine Freiheit. Ich fand sie erst, als ich in einem überfüllten Knast steckte, der für mich die Hölle war. Ja, das ist paradox, aber Paradoxe sind der Lieblingstanz der Quelle in dieser dritten Dimension. Paradoxe bewirken, dass wir mit unserer Logik überlegen, wie wir am besten vorgehen sollen – und dann das Gegenteil tun. So spielt die Quelle offenbar. Im Gefängnis war ich nicht ständig in jeder Hinsicht unfrei; aber ich fühlte mich immer bedroht, weil in diesem Gefängnis gewalttätige Leute waren. Das war kein Zufall. Das Erwachen unter diesen Umständen machte meine Freiheit erst wertvoll. Wäre ich nach meiner Entlassung auf meinen Berg zurückgekehrt und hätte dort ganz plötzlich mein Erwachen erlebt, hätte ich vielleicht gedacht: *Ach, das liegt daran, dass ich nicht mehr im Knast sitze.* Ich erwachte zu Beginn meiner Gefangenschaft. Die Strafe, die das Bundesgericht später verhängte, stand mir noch bevor. Hinter mir lagen erst zwei Jahre in einem Bezirksgefängnis, wo ich auf das Urteil wartete. Da saß ich nun in diesem Irrenhaus und schaute zu, wie die Insassen einander prügelten, vergewaltigten und umbrachten – sofern sie nicht Selbstmord begingen. Sie waren voller Feindseligkeit und Hass. Und ich war glücklicher als jemals zuvor in meinem Leben. Ich weinte vor Freude über meine Freiheit. Ich wusste, dass etwas mit mir geschah und dass es alles übertraf, was ich je gehört hatte. Ich kann es nur als Übergang in die vierte Dimension bezeichnen.

Vorher hatte ich einige Male richtig gutes Acid gehabt, vielleicht mit ein wenig Ecstasy vermischt, und daraus einen Cocktail gemixt, der dieses Gefühl der Trennung ein paar Stunden lang auslöschte. Damals spürte ich so etwas wie Freiheit. Aber die wahre Freiheit des Übergangs ist der Nektar, der nie zu Ende geht.

Das erste, was mir während dieser Erfahrung des Übergangs auffiel, war das völlige Verschwinden meiner Furcht. Heute weiß ich, dass dies nicht bei allen Menschen geschieht. Andere haben noch Angst, wenn ich vielleicht nur enttäuscht bin. Aber meine denkwürdigste Erfahrung ist der Übergang im Gefängnis. Vorher hatte ich ständig gefürchtet, umgebracht zu werden. Diese Furcht erlosch von einem Tag zum anderen und kehrte nie zurück.

Lynn Marie: Wenn Sie dort furchtlos sein konnten, dann können Sie es überall sein! Haben Sie damals die Freiheit gesucht? Waren Sie vor dem Übergang ein spirituell Suchender?

Nadeen: Das letzte, worüber ich mir im Gefängnis Gedanken machte, war ein „Übergang" oder Gott oder irgendetwas Spirituelles. Ich wollte nur überleben und aus diesem Gefängnis hinauskommen.

John: Aber Sie waren doch ein Suchender.

Nadeen: Mein ganzes Leben lang. Ich interessierte mich sehr für das Spirituelle. Vierzehn Jahre verbrachte ich damit, katholischer Priester zu werden. Da ich nicht fand, wonach ich suchte, wechselte ich von der westlichen zur östlichen Mystik. Ich lebte in Ashrams, küsste Gurufüße und übte dreizehn Stunden am Tag Zazen. War ich nicht ein typischer Suchender? Dann probierte ich den anderen Pol aus. Ich drang tief in die dreidimensionale Welt des Geldes, der Macht, der Drogen und des Sex ein. Aber die Sehnsucht, „nach Hause" zu gehen und die Gedanken Gottes zu erfahren, verließ mich nie – bis zum Tag meines Erwachens. Bis dahin war alles, was ich tat, ein Teil der Suche.

Wissen Sie, abgesehen davon, dass wir Menschen sind, ist diese tiefe Sehnsucht nach der Heimat das Tor zum Übergang. Allen, die den Übergang geschafft haben, ist diese Sehnsucht gemeinsam, und sie wissen nicht einmal, wo diese Heimat ist. Es ist ähnlich wie im Film *Gefährliche Begegnungen der dritten Art*, wo die Musik die Auserwählten anlockt, so dass sie sich immer mehr einem Zentrum nähern. Erst dort wissen sie, was los ist, aber vorher nicht.

Die Quelle hat in den letzten zehn Jahren offenbar eine ganz andere Erfahrung gemacht als jemals zuvor. In unserer Zeit erinnern sich nicht nur ein paar Menschen daran, wer sie sind, sondern Millionen. Millionen anstatt einer Handvoll!

John: Wie kommen Sie auf diese Zahl?

Nadeen: Aus zwei Gründen: Der eine ist meine erste intuitive Schätzung, über die ich in meinem ersten Buch berichtete, wonach ein Prozent der Bevölkerung dabei ist zu erwachen. Als ich dann rauskam und mich umsah, stellte ich fest, dass die Suchenden in der Welt tatsächlich ein Prozent der Bevölkerung ausmachen. Ich begann mit meinen Intensivkursen und begegnete auf der ganzen Welt Menschen beim Satsang. Und es kamen nur echte Suchende! Das sind Leute, deren Sehnsucht so stark ist, dass sie wichtiger wird als der Beruf, die Beziehungen und sogar die Gesundheit. So tief ist diese Sehnsucht, dass nur ihre Tränen ein sicheres Indiz dafür bieten, dass der Übergang Fortschritte macht.

John: Das kommt mir bekannt vor! (Gelächter)

Nadeen: Ja, das ist eines der Symptome, die uns allen gemeinsam sind. Ein anderes interessantes Phänomen, das wir alle kennen, ist die „dunkle Nacht der Seele", die dem Übergang vorausgeht. Meiner Erfahrung nach entkommt ihr niemand. Ich würde Ihnen gerne erzählen, dass ich einen Menschen getroffen habe, der in der vierten Dimension lebt, ohne die dunkle Nacht der Seele durchgemacht zu haben. Wir alle haben dieses finstere Tal durchschritten – im Beruf, in unseren Beziehungen und in der Freizeit. Wir fühlten uns nicht nur mies, sondern wir waren verzweifelt, von Gott und vom gesunden Menschenverstand verlassen, ohne Wertvorstellungen, an die wir glauben konnten. Dies ist das Zerbrechen des Ichs, das sich mit dem Geist identifiziert. Die dunkle Nacht der Seele ist offenbar eine Voraussetzung dafür. Ich bin noch niemandem begegnet, der diesen totalen Zusammenbruch nicht erlebt hätte. Das tun wir nicht aus freiem Willen. Wir gehen nicht in ein Zenkloster und sagen: „So, jetzt möchte ich meine Persönlichkeit zertrümmern." So leicht gibt der Geist nicht auf; dafür ist er nicht gemacht. Etwas anderes muss also die alte Konditionierung löschen – die dunkle Nacht der Seele. Davon wollen die Leute nichts hören.

John: Ich möchte noch etwas klarstellen. Sie sind viel gereist – in den letzten zweieinhalb Jahren waren Sie in 78 Städten und haben rund 10.000 Menschen bei Satsangs getroffen. Erleben sie alle den gleichen Prozess des Erwachens?

Nadeen: Nur diejenigen, die sich danach sehnen, Gott zu erfahren. Sprachen sind unwichtig. Es ist überall das Gleiche – in Europa, Kanada, den USA und Südamerika. Wir reden über den Übergang, die Tiefe der Sehnsucht, die dunkle Nacht der Seele, die Erinnerung an unsere wahre Natur und die wachsende Bereitschaft, das Leben so zu akzeptieren, wie es ist. Und alle beim Satsang nicken und sagen: „Ja, das ist auch meine Erfahrung." Es ist überall so.

Lynn Marie: Sie helfen uns damit bei unserem Buch! Wir wollen nämlich nachweisen, dass das Erwachen sich in unserer Zeit ereignet und dass jeder es erleben kann. Sicher lesen auch Menschen unser Buch, die diese Sehnsucht kennen, und fragen sich, was sie tun sollen. Manche zweifeln vielleicht an ihrem Verstand. Was würden Sie ihnen raten?

Nadeen: Nur eines: Tut nichts! (Gelächter) Es gibt kein Erwachen, solange es einen Handelnden gibt, der versucht, es herbeizuführen. Sobald der Geist beteiligt ist, gibt es einen Handelnden; so hat die Quelle es geplant. Wenn Sie diese Sehnsucht empfinden und sich fragen: „Ist das mein Übergang oder meine Midlife-Crisis?", dann sollten Sie wissen: Es ist der Übergang, weil er in unseren Tagen bei allen Suchenden der Welt gleichzeitig auftritt. Ich gehe in einen Saal mit drei- oder vierhundert Leuten, die ich nicht kenne und die mich nicht kennen. Aber wenn ich davon zu reden beginne, weinen und schluchzen sie. Sie stehen auf, greifen zum Mikrofon und sagen: „Genau das fühle ich, und genau das mache ich zur Zeit durch!" Die meisten haben immer noch viele Ideen über das, was „sein soll"; aber darüber kommen sie in den Intensivkursen hinweg. Es ist leicht, solche Vorstellungen loszuwerden. Die Sehnsucht werden Sie allerdings erst los, wenn Sie zu Hause sind.

Manche Leute waren ihr ganzes Leben lang auf der Suche – sie waren in Indien, waren Schüler eines Guru und so weiter. Bis die

Sehnsucht unerträglich wurde. Aber eines Tages war diese Sehnsucht verschwunden und kehrte nie mehr zurück. Dies ist das einzige plötzliche Ereignis im ganzen Prozess. Die Sehnsucht verschwindet, sobald Sie sich daran erinnern, wer Sie sind. Dann beginnt Ihre Erlösung. Es ist ein Wunder, dass etwas derart Starkes, das Sie 30, 40 oder 50 Jahre lang verfolgt hat, sich über Nacht oder während eines Wochenendseminars in Nichts auflösen kann. Danach ist es Ihnen egal, ob der Übergang jemals kommt. Sie haben das Gefühl, zu Hause zu sein, und mehr gibt es nicht zu tun. Ich weiß nicht, wie oft ich das erlebt habe. Es ist wundervoll zu sehen, wie die Leute vor Erleichterung weinen, weil ihre Suche vorbei ist und nichts mehr zu tun bleibt. Es liegt nicht daran, dass ich ihnen das gesagt habe. Was andere Ihnen erzählen, verstehen Sie nur, wenn Sie es bereits selbst erfahren haben. Aber wenn Sie den Menschen erklären, was sie auf der tiefen Ebene schon wissen, erlischt ihre Sehnsucht. Das ist der Übergang. Es klingt unlogisch, weil sie ja ein Leben lang gesucht haben.

Lynn Marie: An diesem Punkt beginnt, was Sie „Erlösung" nennen. Was meinen Sie damit?

Nadeen: Was uns vom Übergang abhält, sind vor allem unsere Vorstellungen davon, wie das Leben „sein sollte". Wir sind mehrfach programmierte Wesen, und das stärkste Programm ist unsere Veranlagung. Jeder Mensch hat eine einzigartige DNS und unterscheidet sich von jedem anderen Wesen im Universum. Ich habe in diesem Buch auf den Clinton-Lewinsky-Skandal hingewiesen – und auf den Fleck am Kleid, der mit einer Wahrscheinlichkeit von 7,5 Billionen zu eins von Clinton stammte. Das bedeutet, dass wir auf einer Million Planeten, die jeweils so viele Bewohner wie die Erde haben, keinen Doppelgänger Clintons fänden – es gibt nur einen Bill Clinton. Und das gleiche gilt für jeden anderen Menschen. Wir kommen mit unserer Veranlagung auf die Welt, und die Gesellschaft bringt uns bei, wie das Leben sein soll. Das ist die Barriere zwischen der dritten und der vierten Dimension, und der Durchbruch ist die

Erinnerung daran, dass *wir* dieses Bewusstsein, diese Quelle sind. Dann löst sich allmählich jede Vorstellung auf, die wir seit Anbeginn der Zeit gehabt haben. Das hört erst mit dem Tod auf. Und jedes Mal, wenn ein alltägliches Problem unseren Widerstand hervorruft, begrüßen wir diesen Vorgang, und der Beobachter sagt „Ja" zum „Nein." Dabei löst eine Vorstellung sich auf. Wann immer wir uns einem Widerstand bewusst stellen, löst etwas sich auf und kommt nie zurück.

Lynn Marie: Unter „Widerstand" verstehen Sie die Auflehnung gegen das, was ist?

Nadeen: Es ist ein lautes „Nein" gegen das, was ist. Mein Tonbandgerät streikt, und ich sage innerlich „Nein". Das ist ein Widerstand, ein kleiner nur, aber doch ein „Nein". Und mitten in diesem Widerstand sagt ein Beobachter: „Alles ist in Ordnung." Das ist das Wunder des Übergangs. Das große Geheimnis des Übergangs lautet: Wir werden nicht erlöst, indem wir in Glückseligkeit versinken oder ins Nirvana eingehen, sondern indem wir mitten in einem Widerstand bewusst bleiben. Der Übergang geschieht, wenn der Beobachter „Ja" sagt, noch während der Geist sich sträubt. Das ist ein Wunder, weil der Beobachter den Widerstand durchschaut und nur feststellt: „Aha, da ist Wut." Nur der Beobachter kann „Ja" zum „Nein" sagen, sogar zum „Nein, verdammt noch mal!". Das geht nicht ohne die Gnade des Übergangs, ohne die Bewusstheit der vierten Dimension. Wie viele Widerstände erleben wir am Tag – zwanzig, dreißig oder vierzig? Sie hören nie auf. Darum hört unsere Erlösung ebenfalls nie auf. Aber es geht uns dabei immer besser!

Lynn Marie: Ich finde es wundervoll, dass Sie das sagen, weil ich immer öfter die gleiche Erfahrung mache. Je bewusster ich werde, desto leichter fällt es mir, alles so zu nehmen, wie es ist. Das passiert in ganz unterschiedlichen Situationen – oder Widerständen. Ich versuche nicht mehr so oft, etwas beiseite zu schieben oder zu ändern. Ich entdecke allmählich, dass ich nicht versuchen muss, den Geist zur Ruhe zu bringen, um Frieden zu haben. Die Bewusstheit ist der Frieden, und sie ist immer da, egal was der Geist tut. Erstaunlich ist nur, dass ich nichts, was ich erfahre oder bin, loswerden muss. Ich habe einen großen Teil meines Lebens damit verbracht, mich zu ändern. Jetzt sehe ich zu meiner Überraschung und Erleichterung, dass alles vollkommen ist, so wie es ist. Lass alles in Ruhe; sei einfach, was du bist. Wie einfach!

Nadeen: Alle, die den Übergang erleben, machen diese Erfahrung, und alle sind überrascht. Wir haben eben die gleichen Fragen, und wir reden über die gleichen Dinge. Manchmal weiß ich gar nicht, in welcher Stadt ich bin, weil alle Städte gleich sind. Nichts ist jemals unterschiedlich.

John: Vor zwei oder drei Jahren wurden Sie bei Satsangs am häufigsten gefragt: „Wovon reden Sie eigentlich?" und „Wie kann ich verstehen, wovon Sie reden?" Heute hören wir immer öfter die Frage: „Wie kann ich meine Erkenntnis bewahren, einerlei, was geschieht? In manchen Situationen scheine ich sie zu vergessen." Es gibt also mehr Menschen, die erwacht sind und wissen wollen, wie sie im Stress des modernen Lebens wach bleiben können. Was raten Sie ihnen?

Nadeen: Sie sind verwirrt. Sie erwarten ein Leben ohne Trubel und Scherereien, weil sie nicht wissen, dass die vierte Dimension mitten in den Widerständen ist. Sie versuchen, ständig in einem Zustand der Glückseligkeit, Freiheit, Freude und Einheit zu sein; aber das ist unmöglich. Das Gesetz des Ausgleichs gilt weiter, und es legt fest, dass wir im Leben ebenso viel Freiheit wie Begrenzung erfahren. Wir brauchen uns aber nicht mit der Begrenzung zu identifizieren, nicht einmal mit der Freiheit. Diese Leute haben Gipfelerlebnisse gehabt, die ihrer Natur nach vergänglich sind. Doch das ist nicht der Übergang. Es ist ein kurzer Blick in den Übergang; aber der wahre Kern des Übergangs ist eine tiefe, alles durchdringende Präsenz, die uns nie verlässt und mitten in jedem Widerstand für uns da ist. Wir wissen, wer wir sind, und wir wissen, dass alles gut ist. Das vergessen wir nie mehr. Gipfelerlebnisse kommen und gehen. Begrenzungen und Widerstände kommen und gehen. Die Präsenz geht nie. Der Beobachter ist immer für uns da. Dieses Geschenk würden wir für nichts in der Welt tauschen.

Die tiefste Erfahrung im Übergang ist völlig gewöhnlich und neutral. Das hört sich langweilig an, aber es ist die unglaublichste, köstlichste Erfahrung, die es gibt, weil wir nicht nach Gipfeln Ausschau halten und nicht in Abgründe stürzen. Wir befinden uns im tiefen Tal, das weder Glückseligkeit noch Enttäuschung kennt. Glück kann uns ebenso ablenken wie Enttäuschung. Wer nach Glückseligkeit strebt, setzt also aufs falsche Pferd – er ist immer noch verwirrt, aber er wird eines Tages verstehen.

John: Ich glaube, zu dieser Verwirrung kommt es, weil das erste Erwachen sehr oft mit einem Gefühl der Glückseligkeit einhergeht. Dann verbinden wir diese Offenbarung mit Glückseligkeit anstatt mit der Präsenz, die einfach da ist. Es ist so einfach, mühelos und normal. Doch die Erleichterung nach dieser Erkenntnis kann überwältigend sein.

Nadeen: Ja, wir sind befreit vom Druck, etwas leisten, erlangen oder behalten zu müssen. Aber dieses Glücksgefühl vergeht schnell. Ich habe bei Satsangs mit 10.000 Leuten Erfahrungen ausgetauscht und dabei festgestellt, dass die Glückseligkeit höchstens drei Wochen anhält. Danach kommt und geht sie – aber nicht unbedingt in dreiwöchigen Intervallen. Einmal war ich ebenfalls drei Wochen lang in diesem Zustand. Ich weinte vor Erleichterung und Freude, weil ich wusste, dass ich zu Hause war. Dann wurde das Leben wieder real, wenn auch ganz anders als zuvor. Jetzt identifizierte ich mich nicht mehr mit den Urteilen des Geistes. Als ich zum ersten Mal wieder urteilte, erschrak ich und dachte: „Wieso verurteile ich nach diesem Glücksgefühl einen Wärter, der einen Gefangenen verprügelt?" Ich wollte ihn umbringen, so wütend war ich. Meine größte Erkenntnis war, dass ich das Leben so akzeptieren muss, wie es ist.

Ein Wärter schlägt einen Gefangenen zusammen, und ich bin wütend auf ihn. Aber mein Beobachter weiß, dass auch dieses Ereignis so, wie es ist, gut ist. Der Geist sucht nach einer Erklärung; aber die Befreiung lehrt mich: „Vergiss den Geist. Er kann nichts erklären – dafür wurde er nicht geschaffen."

Lynn Marie: Es gibt viele Missverständnisse über die Erleuchtung. Eines haben wir eben besprochen: „Die Erleuchtung ist ständige Glückseligkeit".

Nadeen: Bis vor kurzem wusste niemand wirklich, was Erleuchtung ist. Alles, was Sie je darüber gelesen haben und älter als zwölf Jahre ist, gleicht einem Märchen. Die Autoren erzählen unwahre Geschichten über die herrlichen Aspekte der Erleuchtung. Jetzt wissen wir, wie das Leben in der vierten Dimension tatsächlich aussieht: Wir umarmen alles, was ist, und tanzen „Ja" mitten im „Nein" – ohne übernatürliche Kräfte oder mystische Einsichten. Das alles sind nur Phänomene, die kommen und gehen und für unser Glück nichts bedeuten – gar nichts. Tiefes, dauerhaftes Glück erlangen wir nur, wenn wir das Leben so akzeptieren, wie es ist. Und das schafft kein Mensch vor dem Übergang.

Lynn Marie: Es kommt mir extrem vor, dass alles, was bis vor zwölf Jahren über die Erleuchtung geschrieben wurde, ein Märchen sein soll. Die alten Meister wussten doch auch etwas. Sie erlebten die Erleuchtung so, wie sie zu ihrer Zeit war. Jetzt expandiert sie; aber das heißt doch nicht, dass alles unwahr ist, was die Alten gesagt haben.

Nadeen: Es waren nicht unbedingt die Meister selbst, die über ihre Erleuchtung schrieben. Die Autoren waren ihre Schüler oder Biographen, die zu Papier brachten, was ihr Meister ihrer Meinung nach erlebt hatte. Das Ereignis wurde also von ihrem Geist und ihrer dreidimensionalen Weltsicht gefiltert. Aus irgendwelchen Gründen fügten selbst die Meister in ihre Botschaft von der Erleuchtung zahlreiche Gebote und Verbote ein, so dass die „totale Freiheit" dieser Botschaft verloren ging. Bis vor kurzem hielt die Quelle es nicht für angebracht, uns vollständig zu enthüllen, wie das Bewusstsein gleichzeitig in der dritten und in der vierten Dimension existieren kann. Jetzt hat die Quelle endlich ausgepackt!

John: Wenn wir zu allem „Ja" sagen sollen, was geschieht, stellt sich die Frage nach dem Leiden. In der heutigen Welt gibt es unendlich viel Leid, und jeden Tag geschehen schreckliche Dinge. Wir können wir dazu „Ja" sagen?

Nadeen: Alles Leiden der Welt ist der Geist, der urteilt und behauptet, das Leben müsse anders sein. Sogar Schmerzen sind kein Leiden, sondern eine Gnade. Wenn Menschen leiden, weil ihr Geist seine Pflicht tut, dann braucht daran nichts verändert zu werden. Das ist Schicksal, das ist, wie es sein soll. Die Quelle arbeitet auf einer Ebene, die der Geist nicht versteht – aber er versucht es verzweifelt. Nach dem Übergang sinkt die Zahl der täglichen Widerstände nicht. Der Unterschied ist, dass wir nicht leiden, weil wir uns nicht mit ihnen identifizieren und nicht versuchen, etwas dagegen zu tun. Wenn ich mich mit meinem eigenen Leiden nicht identifiziere, dann identifiziere ich mich auch nicht mit dem Leiden anderer. Ich sehe die Menschen nicht leiden. Ich sehe das Chaos auf dem Balkan, und ich weiß, dass die Quelle daraus etwas mixt, was sie fasziniert. Ich weiß nicht, warum, und ich soll es nicht wissen. Ich weiß es nicht, und es kümmert mich nicht: Das sind die Lieblingsworte meines Beobachters, wenn er zu meinem Geist spricht. Jedes Mal, wenn mir jemand beim Satsang eine Frage zum Leiden in der Welt stellt, sage ich: „Ich weiß es nicht, und es ist mir egal." Es hat nichts mit mir zu tun. Das heißt nicht, dass ich kein Mitgefühl empfinde; aber ich kann nichts dagegen tun.

Die Fragen, die Sie mir stellen, sind alle so wichtig, dass ich Ihre Klarheit loben muss. In diesem Buch gehe ich sehr genau auf diese Themen ein, weil sie für mich eine Herausforderung waren. Ich bespreche auch die Mythen über die Erleuchtung. In meinen Intensivkursen begegne ich fünf Arten von Menschen. Einige sagen: „Das kommt bei anderen vor, aber nicht bei mir" oder: „Vielleicht geschieht es eines Tages, aber nicht jetzt". Andere meinen: „Alles, was ich über spirituelle Erleuchtung weiß, setzt voraus, dass man etwas dafür tun muss. Warum sagen Sie nichts über Meditation oder andere Übungen? Das ist doch zu einfach, um wahr zu sein!" Dann gibt es noch Menschen, die an Traditionen hängen und behaupten, man brauche einen Guru, eine Lehre und Disziplin. Und manche Leute zweifeln am Übergang, weil ich oder andere, die ihn beschreiben, nicht zu ihrem Bild von einem Erwachten passen. Ich bespreche alle diese Einwände, die im Grunde auf der Annahme basieren, alles sei zu einfach, um wahr zu sein.

Lynn Marie: Was die vielen Ansichten über die Erleuchtung betrifft, würde mich noch etwas interessieren. Wenn Sie beschreiben, wie es geschieht – Übergang in die vierte Dimension, dunkle Nacht der Seele, Erlösung und so weiter – und wenn Sie sagen, das sei in allen Fällen der einzige Weg, dann erzeugen Sie doch neue Vorstellungen. Vielleicht überwinden Sie die alten, aber Sie schaffen auch neue, oder?

Nadeen: Jedes Wort aus meinem Mund ist eine Vorstellung, eine Idee. Egal, was ich sage, das Gegenteil trifft ebenfalls zu. Das ist das universelle Gesetz der Polarität, das die dritte Dimension regiert. Ich würde daher nie behaupten, der Übergang spiele sich immer so und nicht anders ab. Die Quelle liebt nämlich die Vielfalt und den Kontrast. Alles ist möglich. In diesem Buch beschreibe ich die Erfahrungen der meisten Leute, die den Übergang erfahren haben.

John: Möchten Sie zum Schluss noch etwas hinzufügen?

Nadeen: Seit meinem Übergang und dem Beginn meiner Erlösung sind jetzt fast acht Jahre vergangen. Ich bin jeden Tag für alles dankbar, was Ehrfurcht und Leidenschaft in mein Leben bringt. In mir läuft ein Prozess ab, der bewirkt, dass ich das Leben so nehme, wie es ist. Ich kann diesen Vorgang nicht beeinflussen – er geschieht einfach. Ich umarme das Leben so, wie es ist, und beobachte, wie mein Geist, der anfangs fast verrückt vor Widerständen wurde, allmählich still wird, fast zu einem Nichts schrumpft. Das Leben ist so lustig und einfach. Das wahre Mysterium des Lebens ist seine Einfachheit, nicht seine Komplexität. Es ist so einfach, dass die Leute es nicht glauben können. Niemand würde mitten in Widerständen nach vollkommenem Glück Ausschau halten. Normalerweise versuchen wir, unser Leiden und das Leiden anderer zu beseitigen. Das entspricht unserer Logik. Aber wenn wir das Leben nehmen, wie es ist, ändert es sich irgendwie, und wir finden Glück in uns selbst. Und das ist das verblüffendste Ende, das die Seifenoper des Lebens haben kann!

John: Vielen Dank. Es ist wundervoll, bei Ihnen zu sein.

Kapitel 14

Die Weisheit der *Ashtavakra-Gita*

Im letzten Kapitel meines ersten Buches zitierte ich einige Verse aus dem *Tao Te King* von Laotse, um zu demonstrieren, dass es nichts Neues unter der Sonne gibt. Nur eines ist neu: Dank des Kraftfeldes, das ich Übergang nenne, sind wir heute eher bereit, uns eine uralte Weisheit anzuhören und sie vielleicht sogar zu verstehen.

Auch die *Ashtavakra-Gita* besteht aus kurzen Versen, die eine tiefe Weisheit enthalten. Ich las das Buch vor meinem Übergang und verstand nicht, worum es ging. Wie das *Tao Te King* ist dieses Werk vor der Zeit von Buddha, Jesus und Mohammed entstanden. Geschrieben hat es ein unbekannter indischer Meister aus Shankaras Schule der Advaita-Vedanta. Diese poetischen kleinen Verse enthalten die Essenz dessen, was Sie erfahren werden, wenn der Übergang Sie von der üblichen Konditionierung und von alten Ideen befreit.

Tausende von Lesern der *Zwiebel* haben mir bestätigt, dass Laotses Verse köstliche Leckerbissen am Ende eines Mahles sind, das aus neuen, seltsamen spirituellen Speisen besteht. Viele eilten in ihre Buchhandlung und kauften das ganze *Tao Te King*, weil sie Appetit bekommen hatten.

Vielleicht geht es Ihnen mit der *Ashtavakra-Gita* ebenso. Jedes einzelne Wort beschreibt in poetischer Form, was ich in vielen umfangreichen Kapiteln zu erklären versuche. Vor dem Übergang habe ich es nicht kapiert. Jetzt ergibt nicht nur jedes Wort einen Sinn, sondern die Verse entzücken mich zugleich wegen ihrer Einfachheit. Ich hoffe, Sie spüren ein inneres Prickeln, wenn diese Worte mit der Weisheit Ihres Beobachters im Einklang schwingen.

Das Selbst

O Meister,
sage mir, wie ich
Loslösung, Weisheit
und Befreiung finde!

Wenn du frei sein willst,
dann wisse: Du bist das Selbst,
der Beobachter aller Dinge,
das Herz des Bewusstseins.
Vergiss deinen Körper,
sitze still in deiner Bewusstheit.

Dann bist du sofort glücklich,
still für immer,
frei für immer,
formlos und frei,
jenseits der Sinne,
der Beobachter aller Dinge.

Sei glücklich!

Richtig oder falsch,
Freude oder Leid,
das alles gehört nicht dir.

Nicht du handelst,
und nicht du genießt.

Du bist überall,
frei für immer,
auf ewig und wahrhaft frei,
der Beobachter aller Dinge.

Doch wenn du glaubst,
von allem getrennt zu sein,
bist du gebunden.

Wisse, wer du bist:
reines Bewusstsein.

Mit der Glut dieser Überzeugung
verbrenne den Wald der Unwissenheit.

Befreie dich vom Leiden
und sei glücklich.

Meditiere über das Selbst,
über das Eine ohne Zwei,
über das höchste Bewusstsein.

Bewusstheit

Gestern lebte ich
verwirrt und in Illusionen.

Doch heute bin ich wach,
makellos und gelassen, jenseits der Welt.

Den Körper und die Welt
habe ich abgelegt.
Was bekomme ist dafür?

Ich sehe das unendliche Selbst
wie Zucker im Zuckerrohrsaft.
Ich bin der süße Saft.

Zwei aus einem:
Das ist die Wurzel des Leidens!

Ich habe erkannt,
dass ich eins ohne zwei bin,
reines Bewusstsein, reine Freude,
und dass die ganze Welt eine falsche
Sicht hat.

Es gibt keine andere Arznei!

Durch Unwissenheit
hielt ich mich einst für gebunden.

Aber ich bin reines Bewusstsein.

Ich lebe jenseits aller Unterschiede
in ewiger Meditation (Präsenz).

Der wahre Suchende

Der Weise kennt das Selbst,
und er spielt das Spiel des Lebens.
Doch der Narr lebt in der Welt
wie ein Lasttier.

Der Weise versteht das Wesen der Dinge.
Sein Herz wird nicht beschmutzt

von richtig oder falsch,
gleichwie der Himmel,
den kein Rauch je beschmutzt.

Er ist reinen Herzens und weiß,
dass die ganze Welt das Selbst ist.
Wer könnte es ihm verwehren
zu tun, was er will?

Der Geist

Der Geist begehrt dies
und trauert über jenes.
Er umarmt ein Ding
und verabscheut ein anderes.

Bald spürt er Zorn,
bald spürt er Glück.

Auf solche Weise bist du gebunden.

Doch wenn der Geist nichts begehrt
und über nichts bekümmert ist,
wenn er ohne Freude und Zorn ist
und nichts ablehnt,
weil er nichts festhält,
dann bist du frei.

Wo kein Ich ist,
dort bist du frei.

Wo ein Ich ist,
dort bist du gebunden.

Vergiss das nie.

Es ist so einfach.

Nimm nichts an
und lehne nichts ab.

Nichts ist von Dauer,
nichts ist wirklich.
Denke daran!
Gib es auf.
Sei still.

Lass alle Gegensätze los,
und sei glücklich,
egal was geschieht.

So erfüllst du dich selbst.

Meister, Heilige, Suchende —
jeder sagt etwas anderes.
Nur wer leidenschaftslos ist,
der wird still.
Der wahre Meister wägt ab.
Leidenschaftslos sieht er,
dass alle Dinge eins sind.

Die Natur der Dinge,
die Essenz des Bewusstseins
lernt er verstehen.

Eine glückliche Fügung,
ein Weib oder ein Freund,
ein Haus oder viel Land,
Reichtum und Besitz —
alles ist ein Traum,
ein Taschenspielerstück,
ein vorüberziehendes Schauspiel!

Nach wenigen Tagen ist alles fort.
Lass es nur gehen!
Halte nichts fest.

Stille

Alle Dinge entstehen,
erleiden den Wandel
und müssen vergehen.
Das ist ihr Wesen.

Wenn du das weißt,
wühlt nichts mehr dich auf,
und nichts tut dir weh.

Dann wirst du still.
Es ist so leicht.

Gott schuf alle Dinge.
Es gibt nur Gott.

Wenn du das weißt,
schmilzt das Verlangen dahin.

Wenn du an nichts haftest,
dann wirst du still.

Heute lacht dir das Glück,
morgen ist Unglück dein Los.

Wenn du das weißt,
begehrst du nichts
und trauerst um nichts.

Alles, was du tust,
bringt Freud oder Leid,
Leben oder Tod.

Wenn du das weißt,
handelst du frei,
ganz ohne Bindung.

Denn was kannst du erreichen?

Furcht ist der Ursprung des Leidens,
es gibt keinen andern.

Wenn du das weißt,
wirst du vom Leiden frei,
und die Gier schmilzt dahin.

Du wirst glücklich und still.
„Ich bin nicht der Körper,
und der Körper ist nicht mein.
Ich bin das Bewusstsein selbst.“

Wenn du das weißt,
berührt es dich nicht mehr,
was du getan hast
und was ungetan blieb.

Du wirst eins,
vollkommen, unteilbar.

„Ich bin in allem,
ich bin im Brahman
und in einem Grashalm.“
Wenn du das erkennst,
denkst du nie wieder

an Erfolg oder Fehlschlag
und an den unsteten Geist.

Du bist rein.
Du bist still.

Meditation brauchst du nur,
wenn falsche Ideen
dich ablenken.

Weil ich das weiß,
finde ich Erfüllung.

Nichtwissen ist der Ursprung
des Tuns und des Nichttuns.

Weil ich das weiß,
finde ich Erfüllung.

Ich nehme nichts an.
Ich lehne nichts ab.

Und ich bin glücklich.

Weil ich weiß,
tue ich nichts.
Ich tue nur, was zu tun ist,
und ich bin glücklich.

An diesen Körper gefesselt,
hält der Suchende daran fest,
nach etwas zu streben
oder still dazusitzen.

Aber ich denke nicht mehr:
Der Körper ist mein.
Und ich denke nicht mehr:
Der Körper ist nicht mein.

Wenn ich schlafe, sitze, gehe,
widerfährt mir weder Gutes noch
Schlechtes.

Ich gehe, sitze, schlafe,
und ich bin glücklich.

Ob ich kämpfe oder ruhe —
Nichts ist gewonnen oder verloren.

Gelöst hab ich mich
von der Freude des Sieges,
vom Leid des Verlierens.

Und ich bin glücklich.

Die Freude kommt und geht.
So oft habe ich gesehen,
wie wankelmütig sie ist!

Der Narr

Draußen ein Narr,
drinnen von Gedanken befreit.

Ich tue, was mir gefällt.
Und nur wer mich mag,
versteht meine Art.

Das reine Bewusstsein

Losgelöst von den Sinnen,
bist du frei.

Wenn du an etwas haftest,
bist du gebunden.

Wenn du das verstehst,
kannst du tun, was dir gefällt.

Wer das versteht,
der wird stumm,
auch der kluge, geschäftige Mensch
der wohlgesetzt reden kann.

Er tut nichts mehr.
Er gibt Ruhe.

Kein Wunder, dass jene,
die nach Vergnügen trachten,
dies nicht gern hören!

Du bist nicht dein Körper.
Dein Körper ist nicht du.

Du bist es nicht, der tut.
Du bist es nicht, der genießt.

Du bist reines Bewusstsein,
der Beobachter aller Dinge.

Wenn du nichts mehr erwartest,
dann bist du frei.

Wohin du auch gehst,
sei glücklich.

Hätte der Körper Bestand
bis ans Ende der Zeit,
oder würde er heut noch vergehen:
Was wäre gewonnen oder verloren?

Du bist das unendliche Meer,
in dem alle Welten steigen und fallen
mit seinen Wogen.

Du hast nichts zu gewinnen
und nichts zu verlieren.

Warum also glaubst du,
du könntest etwas festhalten
oder loslassen?

Das kannst du nicht!

Die Welt ist entstanden
aus Unwissenheit.
Nur du bist wirklich.

Alles ist ein Teil
deines Selbst,
sogar Gott.

Du bist reines Bewusstsein.

Du findest Frieden.

Störe nie deinen Geist
mit Ja oder Nein.

Sei still.
Du selbst bist Bewusstsein.

Was nützt dir das Denken?

Gib die Meditation auf,
für immer,
halte nichts in deinem Geist fest.

Du bist das Selbst,
und du bist frei.

Vergiss alles

Mein Kind,
lies die heiligen Schriften
und diskutiere sie,
soviel du willst.

Aber in deinem Herzen
Lebst du erst dann,
wenn du alles vergisst.

Das Streben ist die Wurzel des Leidens.

Aber wer versteht das schon?

Nur wenn du das Glück hast,
diese Lehre zu verstehen,
findest du Freiheit.

Du kümmerst dich um dieses,
und vernachlässigst jenes ...

Doch wenn der Geist aufhört,
das eine am andern zu messen,
giert er nicht mehr nach Lust.

Er sehnt sich nicht mehr nach Reichtum
und religiösen Pflichten,
die Erlösung versprechen.

Wenn das Verlangen nicht schwindet,
entwickeln sich Neigungen:

Manches gefällt dir, anderes nicht.
Sie sind die Wurzeln und das Geäst
dieser Welt.

Losgelöst von allem

Wer die Wahrheit kennt,
ist nie unglücklich in der Welt,
denn er füllt das Universum aus.

Es gibt nur wenige Menschen
mit offenem Geist,

die Reichtum und Freude,
Pflicht und Freiheit,
Leben und Tod
weder suchen noch scheuen.

Ein solcher Mensch
wünscht sich weder das Ende der Welt
noch ihr Weiterbestehen.

Einerlei, was geschieht,
er lebt immer im Glück,
denn er ist wahrhaft gesegnet.

Jetzt, da er versteht,
findet er Erfüllung.

Er sieht und er hört,
er berührt und er riecht,
und er ist glücklich.

Einerlei, wer ihm naht:
eine reizvolle Frau
oder der Tod in Person,
er bleibt unbewegt.

Ihm ist alles gleich:
Mann oder Frau,
Glück oder Unglück,
Freude oder Leid.

Es gibt keinen Unterschied.
Er bleibt gelassen.

Die Welt fesselt ihn nicht mehr.
Er überschreitet die Grenzen
des menschlichen Wesens.

Er spürt weder Mitleid
noch den Wunsch zu schaden,
weder Stolz noch Demut.

Nichts stört seine Ruhe,
nichts kann ihn überraschen.

Denn er ist frei,
er begehrt oder verabscheut
nichts in der Welt.

Er nimm alles, wie es kommt.

Sein Geist haftet an nichts.

Sein Geist ist leer.
Ob er meditiert oder nicht,
er ist ohne Sorge,
er bleibt unerschüttert
vom Kampf zwischen Gut und Böse.

Er ist losgelöst von allem,
allein.

Sein Geist schmilzt dahin,
und mit ihm vergehen
Trugbilder und Träume
und die Blindheit des Auges.

Was ist er geworden?
Es gibt keine Namen.

Er hat Freiheit erlangt,
nimmt sich nichts mehr zu Herzen,
weder Pflichten noch Wünsche.

Er hat nichts zu tun,
als sein Leben zu leben.

Wenn etwas dich ablenkt,
übst du Konzentration.

Doch nichts lenkt den Meister ab.
Er hat nichts zu erfüllen —
denn was könnte er noch erreichen?

Er benimmt sich wie jedermann
und ist doch innerlich anders.

Er sieht kein Fehl an sich selbst,
er irrt nicht vom Weg ab,
Meditation braucht er nicht.

Er ist wach und erfüllt,
frei von Verlangen.

Es ist falsch zu sagen
„Er ist",
und falsch zu sagen
„Er ist nicht".

Er sieht beschäftigt aus,
aber er tut nichts.

Ob er sich bemüht
oder still ist,
er bleibt unerschüttert.

Er tut, was zu tun ist,
und er ist glücklich.

Er hat keine Wünsche,
hat seine Ketten gelöst
und geht auf Luft.

Er ist jenseits der Welt,
jenseits von Freude und Leid.

Sein Geist bleibt stets kühl.
Er lebt, als hätte er keinen Körper.

Sein Geist ist kühl und rein.
Er ist glückselig im Selbst.

Er strebt nicht nach Entsagung.
Er vermisst nichts.

Sein Geist ist leer.
Er tut, was ihm gefällt.

Er ist kein gewöhnlicher Mensch.
Ehre und Unehre bedeuten ihm nichts.

Er findet Freiheit im Leben,
doch er handelt wie gewöhnliche
Menschen.

Aber er ist kein Narr.
Glücklich und weise
gedeiht er in der Welt.

Nichts lenkt ihn ab,
darum meditiert er nicht.

Er ist ungebunden,
darum sucht er keine Freiheit.

Selbst wenn er still ist,
ist der Selbstsüchtige beschäftigt.

Selbst wenn er beschäftigt ist,
ist der Selbstlose still.

Wenn ein Tor die Wahrheit hört,
ist er verwirrt.

Wenn ein Weiser die Wahrheit hört,
geht er nach innen.

Vielleicht sieht er aus wie ein Narr,
aber er ist nicht verwirrt.

Im Streben oder in der Stille,
der Narr findet nie Frieden.

Doch der Meister findet ihn,
weil er weiß, wie die Dinge sind.

In dieser Welt
probieren die Menschen viele Wege.

Und doch übersehen sie das Selbst,
den Geliebten.

Der Narr wird niemals frei,
auch nicht durch Konzentration.

Doch der Meister geht nicht fehl.
Weil er weiß, wie die Dinge sind,
ist er frei und beständig.

Der Narr will Gott sein,
darum findet er ihn nie.

Der Meister ist Gott,
ohne es sein zu wollen.

Der Narr sucht nach Frieden,
darum findet er ihn nie.

Der Meister lebt immer im Frieden,
weil er weiß, wie die Dinge sind.

Wenn du erkannt hast,
dass du nichts tust, nichts genießt,
kommen die Wellen des Geistes zur
Ruhe.

Der Meister bewältigt den Alltag
in vollkommenem Gleichmut.

Er ist glücklich, wenn er sitzt,
glücklich, wenn er spricht und isst,
glücklich im Schlaf,
im Kommen und Gehen.

Er kennt sein wahres Wesen,
darum tut er, was zu tun ist,
ohne die Ruhe zu verlieren
wie gewöhnliche Menschen.
Er kennt keine Sorgen. *

---

* Abdruck mit freundlicher Genehmigung aus „The Heart of Awareness" by Thomas Byrom, © 1990, Shambhala Publications, Inc., Boston.

Über den Autor

Satyam Nadeen lebt mit seiner Familie in der Bucht von San Francisco. Er reist durch die ganze Welt und hält Satsangs ab. In Costa Rica leitet er regelmäßig Seminare.

Sie können Satyam Nadeen per Brief oder Telefon erreichen:

P. O. Box 3039
San Rafael, CA 94912
USA
Tel. 001-888-363-3738
Website: www.SatyamNadeen.com

Weitere Informationen finden Sie bei **www.windpferd.com** unter dem Titel dieses Buches.

— Shalila Sharamon • Bodo J. Baginski • Arne Herrmann —

Im Einklang mit Deinem inneren Selbst

*D*as Einverstandensein führt uns auf spontane und mühelose Weise zum Einklang mit unserem innersten Selbst. Es ist wie ein zauberhafter Schlüssel, der das Tor zu unserem ureigenen Potential an Liebe, Energie und schöpferischer Kraft zu öffnen vermag.

Durch das bedingungslose Zulassen all dessen, was an Wünschen und Bedürfnissen, an Gefühlen und Reaktionen in uns lebt, lösen sich Krämpfe und Zwiespälte, die unsere Energie binden und gefangen halten. Es sind all jene Anteile der Ganzheit, die wir in die Einseitigkeit verdrängt haben und die uns nun in Form von negativen Emotionen, von Schicksal, Krankheit und Leid wieder begegnen. Die Erlösung all dieser „Schattenanteile" gibt den Weg frei zu unserem eigentlichen Wesen.

Die geführte Meditation dieser CD und die hierfür einfühlsam komponierte Musik vermitteln das direkte Erleben des Einverstandenseins.

SHALILA SHARAMON
BODO J. BAGINSKI
ARNE HERRMANN
Einverstandensein
CD 41097, ISBN 3-89385-972-1

• erhältlich im Buchhandel,
• Hörproben unter
www.windpferd.com

— Shalila Sharamon • Bodo J. Baginski • Merlin's Magic —

Chakra-
Meditation
de Luxe

*D*er Klassiker der Chakra-Musik. Sie enthält eine Reise durch alle 7 Chaken, die zuerst geöffnet, dann harmonisiert und wieder geschlossen werden. Komplett mit gesprochener Meditation auf 2 CD's: auf der ersten CD befindet sich Chakra-Musik, 48 Minuten lang pur zu hören, und auf der anderen CD ist die mit Musik hinterlegte und von Shalila Sharamon gesprochene „Reise zu den Zentren der Kraft". Diese CD eignet sich hervorragend für jede Form von Entspannungstechnik. Auch autogenes Training, Reiki und andere Heiltechniken werden von den speziellen Schwingungen der Chakra-Musik in jeder Weise positiv unterstützt. Viele Informationen hält das 16-seitige Booklet bereit. Alles zusammen im besonders günstigen Doppelpack.

SHALILA SHARAMON
BODO J. BAGINSKI
MERLIN'S MAGIC
Chakra Meditation de Luxe
Doppel-CD
CD 41069, ISBN 3-89385-884-9

• erhältlich im Buchhandel,
• Hörproben unter
www.windpferd.com

Nischala Joy Devi

Der heilende Weg des Yoga

Zeitlose Weisheit und medizinisch bestätigte Behandlungen, die Streß lindern, das Herz öffnen und unser Leben bereichern

Dieses Buch läßt uns an Nischala Joy Devis jahrelanger Erfahrung teilhaben. Sie erklärt, wie Yoga, Visualisierung, Atemübungen und Meditation die Gesundheit stärken, und beschreibt die wichtigsten Yogastellungen. Nischala Joy Devi verbindet zeitlose indische Yogatechniken mit ihren eigenen Erkenntnissen über eine gesunde Lebensweise, um Menschen zu heilen und zu verjüngen – zeigt wie Yogapraxis den täglichen Streß in tägliche Freude transformieren kann: Stress abbauen, Rekonvaleszenz nach Krebs, Herzinfarkt und anderen Krankheiten, Gewichtsabnahme, Tiefenentspannung, verbesserter Allgemeinzustand von Körper, Seele und Geist. Ein Buch, dessen große Kraft uns berühren wird.

248 Seiten · 3-89385-368-5
www.windpferd.com

David Frawley

Das große Handbuch des Yoga und Ayurveda

Das Buch des vedischen Wissens. Der Weg der Selbstverwirklichung und der Yoga der Selbstheilung

Yoga und Ayurveda bilden gemeinsam eine starke Kraft, die zu optimaler Gesundheit und höherem Bewußtsein führt. Das große Handbuch des Yoga und Ayurveda enthüllt die geheimnisvollen Kräfte des Körpers, des Atems, der Sinne, des Geistes und der Chakras. Es zeigt, wie man mit richtiger Ernährung, Kräutern, Asanas, Pranayama und Meditation heilen kann. Dies ist das erste umfassende im Westen veröffentlichte Buch über das Zusammenspiel dieser außergewöhnlichen Energien. Yoga wie Ayurveda sind heute die im Westen am häufigsten praktizierten Erkenntnis- und Gesundheitswege. David Frawley genießt sowohl in Indien als auch im Westen ein hohes Ansehen als Kenner der Veden, des Ayurveda, der vedischen Astrologie und des Yoga.

320 Seiten, 3-89385-363-4
www.windpferd.com